Luigi Forte · Störung

Luigi Forte

STÖRUNG

Komödie in vier Bildern

Aus dem Italienischen von Doris Berger

Deuticke

… jene Schlucht / mit den Resten der Geige.
Paul Celan

Rage, rage against the dying of the light.
Dylan Thomas

Für Clarissa, die Geigenspielerin

PERSONEN

SCHELLING, *Nervenarzt*

LENAU, *Dichter und Anstaltsinsasse*

FERDINAND, *Oberpfleger*

PAUL, *Pfleger*

SOPHIE, *Bedienstete*

EMILIE, *Bedienstete*

PFLEGER *und* BEDIENSTETE *des Krankenhauses*

Die Handlung spielt in der Irrenanstalt von Oberdöbling in der Nähe von Wien um die Mitte des vorigen Jahrhunderts.

1. BILD

(Geräumiges Zimmer. In der oberen Hälfte der Wand im Hintergrund zwei kleine Fenster. Auf der rechten Seite eine angelehnte Tür, gegenüber ein Bett. Darauf wild durcheinander Kleidungsstücke, Bücher und verschiedene Gegenstände. In der Mitte des Zimmers eine lange Bank, auf der, in einem gewissen Abstand, Lenau und Ferdinand rittlings sitzen. Letzterer ist wie ein Heiduck gekleidet, während der erste einen lila Hausmantel trägt. An den Seiten des Sitzmöbels zwei Truhen. Ringsherum aufeinandergestapelte Stühle, die eine Art Kasten bilden. Ferdinand hält eine Schnur in der Hand, die er ab und zu wie eine Peitsche in der Luft knallen läßt)

LENAU: Schneller, Ferdinand, schneller!

FERDINAND: Aber gnädiger Herr, Ihre Sudorationen.

LENAU: Schnee von gestern ... Kümmer dich lieber um die Pferde!

FERDINAND: Jawohl, Herr!

LENAU *(für sich)*: Was für eine Nacht! Hinauf- und hinuntergerast, über Treppen und Korridore gehastet ... und da drinnen ein Feuer, ein Brennen ...

FERDINAND: Geben Sie nichts auf Ihre Träume, Herr!

LENAU: ... die Nerven zum Zerreißen gespannt. *(Erregt)* Gib die Peitsche, Ferdinand, los, die Peitsche!

FERDINAND: Die Pferde sind am Ende.

LENAU: Unsinn! Die haben tausend Teufel im Leib. *(Pause)* Treib sie an, sitz nicht so da wie angegossen! Die Gäule machen sich noch lustig über dich! Los, die Peitsche! Los!

FERDINAND: Jawohl, Herr!

LENAU: Die Glückseligkeit, mein Lieber, braucht Ansporn ... *(Pause)* Mach die Bremsen los! *(Schnellt hoch)* Bring mich fort aus meinen Träumen, Ferdinand!

FERDINAND: Das wird nicht leicht sein mit diesem Karren.

LENAU: Ein einziges Auf und Ab ... ich drehe mich, stoße an. *(Pause)*

Je mehr ich versuche, herauszukommen, um so mehr stürze ich hinein ... *(Fast schreiend)* Wo bin ich?

FERDINAND: Im Zimmer, Herr.

LENAU: Wie?

FERDINAND *(zögernd)*: Verzeihen Sie ... in der Kutsche.

LENAU: Wo bin ich, schrie ich, und hinunter, den Ausgang suchen. *(Pause)* Verdammter Schweiß! *(Trocknet sich langsam die Stirn)* Heute nacht wieder, wie letzten Monat in Stuttgart, eine Wassermasse, die aus allen Poren quillt, aus meinen Körperschleusen.

FERDINAND: Großartige Intuition, Herr! Der Befehl kommt von oben, wie der hochverehrte Doktor Schelling zu erinnern pflegt.

LENAU *(emphatisch)*: Dieser Unmensch, der davon träumt, Hirne in seinen Glaskästen auszustellen!

FERDINAND: Ich bitte Sie, Herr!

LENAU: Der verdammte Doktor, der betatscht mich, preßt mich aus wie einen Schwamm ... und schon schwitze ich wieder. *(Trocknet sich die Stirn)*

FERDINAND: Das ist die Sympathie, die alle Körperteile miteinander verbindet, sagt Doktor Schelling.

LENAU: Zum Teufel mit der Sympathie!

FERDINAND: ... ein Verhältnis gegenseitiger Solidarität, das alle Organe aneinander bindet. *(Pause)* Dort oben im Hirn, wie der hochgeschätzte Primarius versichert, dort oben werden die Befehle ausgeteilt.

LENAU: Befehle?

FERDINAND: Anspannen und Entspannen. *(Pause)* Er sagt, die Nerven sind wie winzigkleine, ferngesteuerte Hebel. Werden sie falsch betätigt, dann wird, wie in Ihrem Fall, der irrtümlich gebildete Strom ...

LENAU *(unterbricht ihn)*: Ah, wunderbar! Mich wie einen Lumpen auswringen, das nennst du Irrtum!

FERDINAND: Es ist die Natur, die ihren freien Lauf findet.

LENAU: Freier Lauf! Eben das unterdrückt dein Doktor, den freien Lauf! *(Im Vortragston)* Verstecken, verstecken, sagte er vor einigen Tagen, jedes Ding an seinem Platze!

FERDINAND: Bei all dem, was wir hier sehen müssen, scheint mir das unerläßlich.

LENAU: Auch du möchtest am liebsten die Welt vor jeder Öffnung schützen, was?

FERDINAND: Man weiß ja nie.

LENAU: Aber er weiß Bescheid, mein Lieber! Erst durchwühlt er dich, und dann spuckt er seine Sprüche aus. *(Pause)* Magenknurren, brüllte er vorgestern im Vorbeigehen, wieder Magenknurren ante meridiem. *(Pause)* Dann drehte er sich nach mir um und raunte mir zu: Ich ziehe Ihre Verse vor, lieber Lenau, weniger Gelärme und mehr Langeweile. Und beim Weitergehen, da schüttelte er sich vor Lachen, wie ein Verrückter.

FERDINAND *(für sich)*: Muß der gerade sagen!

LENAU: Verdammter Quacksalber!

FERDINAND: Ich verabscheue solch eine Ausdrucksweise, Herr!

LENAU: Und ich verabscheue Schelling!

FERDINAND: Gnädiger Herr!

LENAU: Was willst du? Hast du nicht gesehen, wie er die Augen aufreißt, wenn es einem schlecht geht? *(Mit veränderter Stimme)* Schwindelgefühle? *(Ahmt einen Patienten nach)* Bestimmt nicht, Herr Doktor, nur eine leichte Benommenheit. *(Pause)* Herrlich, antwortet er, und beäugt ihn wie ein Raubvogel, der seine Beute ausgemacht hat … Dann packt er seinen Kopf und schüttelt ihn wie einen Würfelbecher. *(Pause)* Was für eine Zahl wird wohl herauskommen, was für ein Urteil? Und die Behandlung? Werden Sie ihn in ein Bett zwängen oder auf einem Brett festbinden? Ich glaube ihn zu hören, unseren geliebten Doktor: So fest verpackt wirst du nicht mehr herunterfallen, mein Lieber … Genieße deinen Schwindel!

FERDINAND: Ich bitte Sie, hören Sie auf, Herr, sonst halte ich die Pferde an!

LENAU *(jammernd)*: Ferdinand, mein Freund, laß die Zügel schießen! *(Pause)* Ich bin sicher, er verfolgt uns. *(Pause)* Verdammtes Schwitzen! *(Trocknet sich die Stirn mit einem Tuch)* Ich muß diese Wassermassen irgendwie zurückhalten.

FERDINAND: Die Sache umdrehen, Herr – das ist schnell getan: laudanum liquidum, wie unser …

LENAU *(unterbricht ihn)*: Ich weiß, ich weiß. Zwei Unzen Opium, eine Unze Safran, zehn Unzen kanarischen Weins …

FERDINAND: Wie köstlich, Herr!

LENAU *(deprimiert)*: ... und zehn Unzen Branntwein. Alles im Wasserbad erhitzt, und inzwischen schwellen meine Eingeweide, bis sie platzen.

FERDINAND: Bei der nächsten Rast könnte ich Chinaextrakt für den Herrn bestellen.

LENAU: Fahr zu, Ferdinand, fahr zu! Bring mich fort von den Aufgüssen und Sitzbädern, fort von den Einreibungen und Fußwaschungen.

FERDINAND: Sie vergessen den erbarmungswürdigen Zustand Ihres großen Sympathikus, die Magenbeschwerden, die der verehrte Doktor ...

LENAU: Ein Sadist, mein Freund, ein Schatten, der mich verfolgt, der sich in meine Träume einschleicht. *(Lange Pause)* Und ich renne und renne und höre, wie er lacht und brüllt, wie er die Nacht erzittern läßt, während ich nichts weiter bin als tröpfelnde Brühe. *(Er trocknet sich erneut den Schweiß ab)* Vorwärts, Ferdinand!

FERDINAND: Aber die Kutsche schwankt schon gefährlich, Herr, das ist Selbstmord, wenn wir noch fahren!

LENAU: Mein Freund, es ist die Rettung! *(Pause)* Aber bei diesem Tempo schaffen wir es nie.

FERDINAND: Heute wär ich schon zufrieden, wenn wir bis Salzburg kämen!

LENAU *(verächtlich)*: Salzburg! Erheb dich über Dächer und Giebel, Ferdinand! Salzburg ist nicht weit genug, halt auf die Glückseligkeit zu ... mit ihren geschwinden Riesenflügeln. Aber so schaffen wir es nicht, ihr zu folgen.

FERDINAND: Der Glückseligkeit stehen frischere Rösser zur Verfügung! *(Lacht auf)*

LENAU *(für sich)*: Was für eine banale, armselige Kreatur! Ein mickriger Spießer! *(Pause)* Wo ist nur der Mannesstolz, der Fluten zum Himmel emporhebt?

FERDINAND *(für sich, lachend)*: Dafür müßte ich mindestens soviel schwitzen wie der!

LENAU *(unruhig)*: Fahr zu, Ferdinand, ich brauche Luft, ich fühle, wie mir hier drinnen etwas die Kehle zuschnürt ... meine Zunge ist ganz trocken, meine Augen sind wie auf immer dasselbe Bild geheftet. *(Schreit)* Luft, Luft! *(Fällt in Ohnmacht)*

FERDINAND *(brüllt)*: Paul, Paul! *(Ein Pfleger kommt gelaufen)* Schnell, komm hierher, nimm seinen Kopf und leg ihn auf diese Lumpen. *(Lenau atmet schwer und hat die Augen weit aufgerissen)*

PAUL: Die übliche Krise?

FERDINAND: Er palaverte, wollte mich durcheinanderbringen, um sich aus dem Staub zu machen, aber ich fall da nicht drauf rein. Und dann regt er sich auf, und ihm bleibt die Luft weg. *(Zu Paul gewendet)* Hast du gesehen, wie seine Pupillen geweitet sind? Du denkst, der ist völlig hinüber ... Aber von wegen, dieser Mistkerl! Das ist nur wieder einer von seinen Tricks. Wehe, man läßt ihn allein! Ein paar Minuten lang scheint er wie tot, und dann wird er wild. Der wäre fähig, mit seinen Fingern den Boden aufzureißen, um hier rauszukommen.

PAUL: Das wird wohl einen Grund haben.

FERDINAND: Klar! Dein blödes Gesicht hat ihn erschreckt! *(Lacht)*

PAUL *(für sich)*: Der soll sich mal anschaun! Mit diesen Augen, die ihm aus dem Kopf quellen wie einem Irren. *(Zu Ferdinand)* Und was machen wir jetzt?

FERDINAND: Gar nichts machen wir. Laß dir nicht einfallen, den Doktor zu rufen. Dann muß ich wieder seine Litaneien über mich ergehen lassen. *(Ahmt Schelling nach)* Alles klar, absolut klar, lieber Ferdinand, nehmen Sie sein Bein, los, halten Sie's fest! *(Macht Paul ein Zeichen, das Bein zu halten)* So, ja, genau so, gut, sehr gut. *(Pause)* Jetzt heben Sie es hoch. *(Paul tut es)* Ja, sehr gut! Und jetzt lassen Sie es wieder fallen. *(Paul ist unsicher)* Worauf warten Sie, Ferdinand?

PAUL: Genau, worauf wartest du? Du bist dran!

FERDINAND: Dummkopf, siehst du nicht, daß wir spielen!

PAUL: Wenn du meinst ...

FERDINAND: Und jetzt probieren Sie es mit dem Kopf, hat er zu mir gesagt. Aber, Herr Doktor, wir werden ihn am Ende beschädigen ...

PAUL: Genau!

FERDINAND: Und wenn? Das wäre nur gut, mein Junge, das hat er tatsächlich gesagt: mein Junge! Es wäre gut, wenn man in den

Kopf eines Dichters hineinschauen könnte. Wissen Sie, Dichter sind absonderlich, sie sind so zerbrechlich. Sie müssen da drinnen ein besonders feines Nervengewebe haben: zarte Fäden, ganz feine Saiten, auf denen sie ihre Musik spielen.

PAUL: Ich versteh überhaupt nix mehr.

FERDINAND: Da bist du nicht der einzige, Paul. *(Pause)* Und dann sagte er noch: Und der Körper ist bloß eine zufällige Hülle, die jeden Schwung bremst, die Spannung abtötet, jede Ausdehnung erstickt. *(Packt Paul beim Hals)* So, so!

PAUL: Laß mich los! Was hast du, bist du verrückt geworden?!

LENAU *(kommt wieder zu sich)*: Die Musik, die Weltmusik ... *(Öffnet die Augen)* Ferdinand ...

FERDINAND *(leise)*: Geh, Paul, verschwinde, wenn er dich sieht, fängt er wieder an zu toben!

PAUL *(für sich)*: Was der sich einbildet.

FERDINAND: Und sag bloß nichts dem Doktor, sonst wird keine Macht des Himmels uns vor einem Vortrag über Katalepsie bewahren.

LENAU: Musik, die der Wind hergetragen hat ... ringsum nur der Ozean, in Dunkel gehüllt ...

FERDINAND *(zögernd)*: Der Ozean von Amerika, Herr?

LENAU: ... und der Mond: ein gelber Globus, der auf den Wellen ritt, er trieb voraus, ungreifbar wie das Glück. *(Pause)* Das Schiff glitt hinein, und der Mond dehnte sich unendlich in die Länge. *(Pause)* Ich glaubte schon, ihn zu berühren, aber er war weg ... fließend, leicht. *(Lange Pause)* Und dann diese langgedehnten Klänge, genau wie eben ...

FERDINAND *(für sich)*: Das war das Geschwätz von Paul, mein Lieber.

LENAU: Die Stimmen der Natur ...

FERDINAND *(hilft ihm aufstehen)*: Kommen Sie nur, setzen Sie sich in die Kutsche, da können Sie sie besser hören.

LENAU: Sie sind hier ... in mir drin.

FERDINAND *(für sich)*: Wer wollte daran zweifeln? Ein Meister der Bauchwinde wie Sie!

LENAU *(wie erwachend)*: Glaubst du an solch eine Musik, Ferdinand?

FERDINAND: Das können Sie wohl sagen, Herr!

LENAU: Gut, gut, du hast doch eine empfindsame Seele, nicht wie dieser Schelling. *(Pause)* Die Natur, mein Freund, verfügt über ein eigenes Notensystem, sie komponiert Melodien, von denen selbst Mozart nicht einmal geträumt hätte.

FERDINAND: Wenn Sie das sagen, Herr.

LENAU: So hebt das Leben zum Flug ab, ohne schrille Töne, auf der Schwingung der Tonika und der Dominante.

FERDINAND: So wie wir, auf dem Weg nach Salzburg!

LENAU: Weiter, Ferdinand, über Giebel und Türme hinweg!

FERDINAND: Glauben Sie mir, Herr, es wäre besser, in der Stadt zu übernachten. Da ist doch eine Poststation direkt am Hauptplatz.

LENAU: Weiter, weiter, fort zu reinen Harmonien.

FERDINAND: Wie sollen wir das schaffen, Herr, mit den erschöpften Pferden, bei diesem ständigen Rauf und Runter!

LENAU: Du treibst doch nichts anderes als Faulenzerei!

FERDINAND *(für sich)*: Da hast du den Dank eines Verrückten! Wir haben uns nicht einen Zentimeter fortbewegt, aber welche Mühe, ihn vom Gegenteil zu überzeugen!

LENAU: Beweg die Pferde, statt vor dich hin zu lamentieren!

FERDINAND: Sofort, Herr, gleich sind wir weg.

LENAU *(wütend)*: Nein!! Du bist immer noch hier, an das Geschick dieses verrückten Schelling gefesselt – und der sucht mit den Füßen im Kot nach Beweisen für die Unvollkommenheit der Materie!

FERDINAND: Ich bin für Ordnung und Gleichgewicht, Herr.

LENAU *(sarkastisch)*: Und so machst du dich daran, Gehirne auszuspionieren, Gedanken zu katalogisieren, Dissonanzen auszugleichen. *(Pause)* Da haben wir sie, die Buchhalter unserer Sehnsüchte: ein Arzt, der sich erbost, weil die Welt andere Wege einschlägt, als die, die er im Sinn hat, und sein armseliger Handlanger, der ihm in den Arsch kriecht!

FERDINAND: Meine Geduld hat Grenzen, Herr! Wenn Sie so weitermachen, wende ich die Kutsche und bringe Sie zurück nach Wien!

LENAU *(jammert)*: Ferdinand, mein Freund, gib nichts auf meine Launen. *(Entschlossen)* Es wird nicht umgekehrt! *(Sanfter)* Du weißt, wie sehr ich dir verpflichtet bin, und sobald wir in Stuttgart sind, werden dich meine Freunde mit Gold überschütten. *(Pause)* Los, Ferdinand, schnalz uns eine neue Musik! Ich will andere Klänge hören! *(Sieht sich um)* Hast du die Schatten da gesehen, Ferdinand?

FERDINAND: Das sind Platanen, Herr.

LENAU *(für sich)*: Ahnungsloser! Jedes deiner Worte beleidigt die Wirklichkeit, zieht sie herab in deine banale Gedankenwelt.

FERDINAND: Schauen Sie doch die Äste an, den Stamm ... Kräftige, wunderbare Platanen.

LENAU: Ach was! Das sind Synkopen, Ligaturen, Triolen: Klänge, die das Herz der Welt durchströmen und es in Musik auflösen.

FERDINAND *(für sich)*: Musik! Für diese Hirngespinste braucht es wirklich den Kopf eines Dichters, und eines halb verrückten dazu! *(Halblaut)* Der Doktor hat mich in einen schönen Schlamassel geritten mit seinen Anweisungen. *(Ahmt Schelling nach)* Widersprechen Sie ihm nicht, geben Sie ihm in allem recht. Kommen Sie allem nach, was ihm einfällt, und notieren Sie, unbedingt, notieren Sie jede Einzelheit! *(Pause)* Noch so eine Besessenheit! Soll er doch mal versuchen, immer auf einen zu hören, der im Irrenhaus sitzt ... Weißt du, was der macht? Der erwürgt dich, oder er macht sich davon! So ist das nämlich! Und ich Idiot sitze hier und spiele seine Verrücktheiten mit. Natürlich auf eigene Gefahr. *(Pause)* Der und sein musikalischer Dialog, noch so eine von diesen Fixationen!

LENAU: Hör auf die Stimmen, Ferdinand, laß dich vom Wind einlullen! *(Pause)* Wo sind wir?

FERDINAND: Ich habe den Wagen einen Augenblick angehalten, Sie wären sonst fast rausgefallen!

LENAU *(träumerisch)*: Wieder dieses Weizenfeld ... da, dieser gelbe Fleck, ein Lichtwirbel, der jede Form verschlingt. Da habe ich angehalten, erinnerst du dich? Sophie war dabei. Ich sagte zu ihr: Die Natur hat keine Grenzen, nur Farben, tauch in sie ein, und die Welt, die wir hassen, wird langsam verschwinden. *(Pause)* Und sie, Ferdinand, sie ...

FERDINAND: Und sie, was hat sie gesagt?

LENAU *(wie erwachend)*: Wer ... sie?

FERDINAND: Eben, Herr, das fragten wir uns.

LENAU: Ich weiß nicht, ich erinnere mich nicht. *(Lange Pause, dann aufgeregt)* Hier, hier drückt es, hier im Unterleib, welch eine Aufregung. Ferdinand, ich halte es nicht mehr aus, ich muß es versuchen ... schnell, schnell!

FERDINAND: Ohh ... der gewohnte Strom, Herr?

LENAU: Eine Flut, mein Freund, eine wahre Überschwemmung.

FERDINAND *(greift Lenau beim Arm und führt ihn hinter die Bank, wo ein großes Becken steht)*: Kommen Sie, kommen Sie hierher, ja genau, bequemen Sie sich hierher für Ihr Bedürfnis, und schaun Sie starr nach unten, denken Sie dran, genau da unten ist die Welt, die Sie verachten.

LENAU: Gut, Ferdinand, stell du das Gelände fest, und ich werde es mit meinen Wassern überschwemmen *(Ferdinand entfernt sich, man hört das Plätschern des Urins)*

FERDINAND *(für sich)*: Wieder diese unregelmäßigen Kontraktionen. Jetzt läßt er wenigstens die Blase sich frei entleeren, im vorigen Monat hielt er die Flüssigkeit zurück, damit es mehr würde ... Ekelhaft! Ich werde dieses Aas von einem Arzt darin ersäufen, schrie er. *(Lange Pause)* Na ja, Schelling wird wieder alles wissen wollen: Menge, Farbe, Dichte. *(Ahmt seine Stimme nach)* Vergessen Sie nicht, den Fluß zu kontrollieren, hat er mir hinterhergeschrien, schaun Sie, ob er langsam oder entschieden kommt, oder mit Unterbrechungen; ob er von Schweißausbrüchen begleitet wird oder nicht. Schreiben Sie alles genau auf, denken Sie dran! *(Pause)* Noch so ein Besessener auf Gestank fixiert ...

LENAU *(für sich, beim Urinieren)*: Lauf nur, lauf, todbringendes Wasser. *(Lange Pause)* Und es regnete monatelang, und alles ward von den Wassern bedeckt. *(Kichert, während er wieder in die Kabine klettert)* Und wir hier oben in Sicherheit. *(Pause)* Mach Trab, Ferdinand, laß uns auf und davon fliegen! Von der Arche aus werden wir Schellings Kadaver auf den Wassern treiben sehen. *(Gelächter)*

FERDINAND *(nähert sich dem Becken und schaut die Flüssigkeit an)*: Eine schöne Riesenpisse, nach all dem Schweiß, den er schon rausgelassen hat!

LENAU: Ferdinand, was machst du da unten? Du wirst doch nicht meinen Styx trockenlegen wollen?

FERDINAND *(vergnügt)*: Ich überquere die Fluten, Herr!

LENAU: Das war ein wahres Unwetter, mein Lieber, das Ende der Welt!

FERDINAND: Oh, stellen Sie sich nicht zuviel vor, die Welt weiß sich immer zu verteidigen.

LENAU: Mit den Theorien von Schelling womöglich.

FERDINAND: Warum nicht?

LENAU *(kichert)*: Die werden auch zu Wasser. *(Pause)* Ich werde ihn überraschen, während er nach dem üblichen Kontrollgang ausruht, wenn seine Abwehr nachläßt, und er selig in den Obszönitäten der Krankheit schwelgt, in verkrebsten Phantasien.

FERDINAND: Was sagen Sie da?

LENAU: Was ich selbst gehört habe. Vor ein paar Tagen brachten sie mich zu ihm. Da war dieser Mistkerl, der Bericht erstatten wollte.

FERDINAND: Das glaub ich wohl! Sie hatten versucht, eine Violine aus der Sammlung des Primarius zu entwenden!

LENAU: Ich wollte den genialen Beethoven hier zwischen all diesen Ignoranten ehren. Was blieb mir anderes übrig, als diese Violine an mich zu nehmen? Sollte ich die Teufelssonate vielleicht auf den Fingern spielen?

FERDINAND *(für sich)*: Jetzt auch noch der Teufel – helf uns Gott!

LENAU: Also, da fand ich mich nun in seinem Behandlungszimmer zwischen Paul und ein paar anderen, die alle stramm standen vor diesem Sadisten. Niemand wagte ihn zu stören, und er brabbelte im Halbschlaf, Silben, Wortfetzen. *(Pause)* Diesen Sack da auf seinem Dienstkanapee ausgestreckt zu sehen *(Kichert)* – stell dir vor, dieser Scharlatan nennt das wirklich Dienstkanapee! –, jedenfalls, wie ich ihn da so sah, sagte ich mir, warum soll ich seinen Phantasien nicht nachhelfen?

FERDINAND: Was für Phantasien?

LENAU: Er war in Ekstase, von Visionen ergriffen, und murmelte vor sich hin. Solch ein Gebrabbel, in dieser Tonart, ein unerhörtes Vorkommnis! Und er schlug seinen Wanst hin und her auf dem Sofa. *(Imitiert Schellings Stimme)* Eine hervorragende intestinale Konstitution, ein regelrechtes Musikinstrument, auf dem die Darmwinde nur so dahingleiten, samtweich …

FERDINAND: Und Sie, Herr?

LENAU: Ich wurde von einem nervösen Gelächter gepackt, das mich nur so schüttelte. Ich spürte das Brodeln in meinem Bauch immer stärker.

FERDINAND: Zweifellos die pflanzliche Kost.

LENAU: Dummes Zeug, Ferdinand! Treib lieber die Pferde an, statt solchen Unfug zu erzählen!

FERDINAND: Wir haben doch schon einen guten Rhythmus!

LENAU: Aber das ist noch nichts gegen den meiner Eingeweide, junger Mann! Die gluckerten und rumorten! Die Pfleger warteten drauf, daß Schelling aufwachen würde, daß sie sich auf mich stürzen könnten, aber er fuhr in glückseligem Schlummer fort: Ja, so, so, noch einmal der Klang von heute morgen, noch einmal. *(Pause)* Und die standen immer noch da wie angenagelt, während mein Bauch furchterregend brodelte. *(Pause)* Und er, in der Überzeugung, diese Klänge in seinem Kopf zu vernehmen, erregte sich immer mehr. Er erhob die Stimme, er kreischte und ächzte. *(Pause)* Dann warf er seine runden Beinchen hoch und ließ sie mit einem Grunzen wieder auf das Kanapee fallen, daß es fast zusammenbrach. *(Pause)* Da konnte ich meine Eingeweide und ihr Gurgeln nicht mehr halten, und er keuchte. *(Imitiert seine Stimme)* Wie Sternschnuppen sinken die Akkorde nieder und hüllen uns ein in eine Wolke aus glühenden Fäden …

FERDINAND: Und Sie Herr?

LENAU: Ich? Was?

FERDINAND: Was haben Sie getan?

LENAU: Ich wurde von einer grenzenlosen Zärtlichkeit ergriffen. *(Pause)* Schließlich bin ich ein Dichter!

FERDINAND: Versteht sich!

LENAU: Ach, Ferdinand, es war das Lied der Lieder – zwei freie Bäuche in perfekter Harmonie!

FERDINAND: Sie in Harmonie mit dem Doktor?

LENAU: Genau so war es! Im ganzen Bauch war nur noch ein Aufeinanderfolgen von Ticken und Brausen, Brodeln und Schnaufen der Eingeweide … Und er, in höchster Erregung: Neue Melodiebögen, ah, still nur, still, da ist der Übergang vom Saitenklang zur menschlichen Stimme. *(Pause)* Und in mir rumorte es weiter. *(Pause)* Welch ein Crescendo, welch ein Fließen, begeisterte sich Schelling. *(Pause)* Es war eine Lust, Ferdinand, eine wahre Lust …

FERDINAND: Das kann ich mir denken, Herr!!

LENAU: … zu hören, wie er jede Bewegung in meinem Bauch in Musik umsetzte. *(Pause)* Noch mal diesen Akkord, murmelte er, ja, so, so, eine Quint aus tremolierenden Klängen, eben gehalten, wie eine Träne, die langsam dahingleitet.

FERDINAND: Wo mag nur soviel Poesie herkommen, Herr.

LENAU *(schlägt sich auf den Bauch)*: Von hier, mein Freund, aus meinen anbetungswürdigen Eingeweiden!

FERDINAND: Daran habe ich nie gezweifelt, Herr! Sicher, unser hochgeschätzter Doktor überschätzt Ihren Bauch.

LENAU: Dummkopf! Verstehst du nicht, fast hätte er sich endlich von all diesen Krankheitsgespenstern befreit. *(Wie versunken)* Er war dabei, wieder ins Leben einzutauchen.

FERDINAND: Das Ohr in die Winde getaucht, wenn Sie erlauben …

LENAU: Ja und, armseliger Kerl! Bist nicht auch du ein Häufchen Erde, eine stinkende Ansammlung von Kanälen voller Körpersäfte, eine Ansammlung von Winden, die von den Füßen bis zum Kopf umgehen?

FERDINAND *(schlägt sich auf den Bauch)*: Mit Verlaub, Herr, ich spüre hier drin nicht soviel Aufregung!

LENAU: Aber er wohl! *(Pause)* Es war ein Moment von Größe. Die Materie löste den Gedanken auf, die Klänge steigerten sich zu einem triumphalen Crescendo. *(Pause)* Einfach virtuos! Verstehst du etwas von Musik, Ferdinand?

FERDINAND: Ein paar Tänze … Ländler reißen mich total mit!

LENAU: Verschon mich mit deinen Ländlern! Was weißt du schon von Virtuosität? *(Pause)* Das war es, was Schelling in meiner Darbietung fand.

FERDINAND: Wenn Sie es so nennen wollen.

LENAU: Ich erlaube dir solche Bemerkungen nicht! *(Wie versunken)* Während die Materie sich reinigt, wird der Klang sanfter.

FERDINAND: Es wird schon so sein, wie Sie sagen, Herr, aber ein Furz ist immer noch ein Furz!

LENAU *(gnomisch)*: Virtuosität bedeutet, die physische Natur des

Instruments zu überwinden, seinen Ursprung, die Mechanik nicht merken zu lassen.

FERDINAND: Dafür braucht es all Ihr Können, Herr!

LENAU: Dazu braucht es den Dämon der Kunst, der jeweils zufällig sein süßes Opfer wählt! *(Pause)* Wenn er sich ganz seinen Phantasien hätte hingeben können, wenn ihn niemand gestört hätte ...

FERDINAND: Warum, Herr?

LENAU: Weil von jenem Moment mein Schicksal abhing.

FERDINAND: Was wollen Sie damit sagen?

LENAU: Die reine Wahrheit! *(Pause)* Schelling warf sich auf dem Sofa hin und her wie von einer Tarantel gestochen.

LENAU: Er war eben am Höhepunkt seiner musikalischen Empfindungen angelangt: Es war eine regelrechte Klangkaskade, und er schrie, immer noch mit geschlossenen Augen: Da, da ist sie, die nota sensibilis! Dabei preßte er sich die Hände auf die Ohren, als wolle er den Klang im Gehörgang festhalten. *(Pause)* Und genau in diesem Moment explodierte der gewaltige Nieser eines Pflegers. Ein Gebirge von einem Mann ...

FERDINAND: Ach, der Michael.

LENAU: Ein Idiot! Er hat einen katastrophalen Wechsel der Tonart verursacht.

FERDINAND: Und dann?

LENAU: Der Doktor riß die Augen auf, erstarrte förmlich auf seinem Kanapee. *(Pause)* Er schaute, aber sah nicht. *(Pause)* Er schien wie von wilden Bestien gehetzt. *(Pause)* Kaum war die Kraft der Poesie geschwunden, fiel der Wanst in sich zusammen wie ein leerer Sack.

FERDINAND: Und Sie, Herr?

LENAU: Auch mein Bauch hielt schlagartig inne. Er musterte mich vom Kopf bis zu den Füßen. Was geht hier vor, wird er sich gefragt haben. *(Pause)* In seinen Träumen hatte er eben noch Drachen getötet, hatte Felswände erklommen, Flüsse und Flammen durchschritten, und nun fühlte er sich wohl mit einem Schlag impotent. *(Mit Emphase)* Ein Wurm! *(Pause)* Und die Harmonien des Traums spien Schwärme von wildgewordenen Hummeln aus!

FERDINAND: Hat er das wirklich so gesagt?

LENAU: Genau so! Und er setzte sich in den Kopf, ich hätte gegen ihn gehetzt. Er fing an, wie ein Besessener zu brüllen. *(Ahmt Schellings Stimme nach)* Ihr wagt es, mich in meiner Mittagsruhe zu wecken, wegen eines widerwärtigen Geschöpfes wie dieses?!

FERDINAND: Und dann, hat er weiter gebrüllt?

LENAU: Und wie! *(Macht ihn nach)* Ob sie vielleicht glaubten, er hätte mit so einem banalen Patienten Zeit zu verschwenden! Die Pfleger versuchten etwas zu sagen, einer wagte: Nierenkolik. *(Pause)* Da sprang er auf, wie ein kleines Faß rollte er auf mich zu, mit einem halben Lächeln, das nichts Gutes verhieß, zudringlich, drohend ... Davon hab ich mich einschüchtern lassen. Ich spürte eine Entspannung, ein unverzeihliches Loslassen im Unterleib ...

FERDINAND *(für sich)*: Das ist wirklich eine Fixation, dieser Bauch!

LENAU: Er umrundete mich und schien alles vergessen zu haben, die mystische Freude, die Erregung, alles. Er sagte: Hysterie, als einleitende Hypothese, begleitet von einem gewissen Wärmegefühl, ein unvermeidlicher Reiz am Blasenausgang ...

FERDINAND: O nein, das schon wieder!

LENAU *(erregt)*: Verstehst du, Ferdinand, das hätte er nicht sagen dürfen! Die Blase erwähnen, mir gegenüber. Ein Fehler wie von einem Anfänger! *(Pause)* Ich versuchte mich zusammenzureißen. Ich dachte an entfernt liegende Dinge. Ich dachte an Amerika, als wir damals von Bord gingen und ein fürchterlicher Wind aufkam. Und ich verlor meine gesamte Habe, fand mich da drüben sozusagen nackt und bloß. *(Pause)* Aber inzwischen begann Schelling, mich abzutasten, während die beiden Schergen mich festhielten. Ich spürte am ganzen Leib Schmerzen, ich war gefangen wie ein Tier, Ferdinand, gefangen!

FERDINAND: Beruhigen Sie sich, Herr, es ist vorbei.

LENAU: Ja, und dieses Fäßchen von einem Arzt betastete meinen ganzen Körper mit schwitzigen Händen und singsangte dazu: Allgemeine Konvulsion der Gliedmaßen, da haben wir's. *(Ahmt die Grimasse des Doktors nach)* Dazu kommen zunächst Hitzewallungen, eine zuckende Hitze wie ein Flächenbrand, von den Schultern bis zum Bauch. *(Pause)* Ich war nahe dran zu erstikken, wollte fliehen. Dann dachte ich: ein Teil von mir würde schon genügen, etwas, was ich aus mir herauslassen kann, um mich etwas leichter zu fühlen, etwas, was meine Seele mit sich fortzieht. Und während er tastend von meinem Körper Besitz ergriff, bis ich keine Widerstandskraft mehr hatte, beschloß ich zu entweichen. Und meine Blase dehnte sich und wurde zu einem stürmischen Meer! *(Pause)* Ich glaube, daß ich auch sein Dienstsofa mit überschwemmt habe. *(Pause)* Und er brüllte und brüllte: Ich werde dich jeden einzelnen Tropfen schlucken lassen! Und da dachte ich: Ich hab's, ich hab's! Ich werde dir mit meinen Flüssigkeiten noch das Hirn fortschwemmen!

FERDINAND: Welch unwürdige Phantasien, Herr.

LENAU: Gewiß doch, für einen Lakaien, wie du einer bist! *(Klagend)* Wenn ich nur aufhören würde zu schwitzen! *(Wischt sich den Schweiß ab)* Wenn ich nur lernen könnte hauszuhalten.

FERDINAND: Ein bißchen Ruhe wird genügen, an der nächsten Poststation.

LENAU: Wenn Schelling uns nicht verfolgt.

FERDINAND *(kichert)*: Mit dem Wässerchen, das Sie um ihn verbreitet haben ... *(Lächelt)*

LENAU: Ach was! In den paar Tropfen tummelt der sich wie ein Fisch!

FERDINAND: Wie meinen Sie das?

LENAU: Er las darin Bilder und Theorien. *(Pause)* Die Wächter schüttelten mich, und einer lief los, Lappen besorgen. Unterdessen gab er vor, aus jener Flüssigkeit einen schwachen Schatten herauszulesen, die verflüssigte Patina meines Seins, das Gespenst meiner Seele. *(Ahmt den Doktor nach)* Es ist klar, absolut klar, und wir müssen diesem Verse-Töner Dank abstatten.

FERDINAND: Das hat er gesagt?

LENAU: Was für ein Aas, dieser Schelling, ein Materialist, ein schmieriger Materialist! Mit dem Finger im Urin murmelte er: kleine Wassertröpfchen, die Gefäße und Fasern des Körpers durchdringen und ihn seiner Substanz berauben. *(Pause)* Eine ganz üble Veranlagung, das Rumoren eines Künstlers ... Und dabei rührte er mit dem Finger in dem dunklen Element: Eine dumpfe Unordnung, das in sich rotierende Chaos ... Und dann tauchte er auch die Hände hinein. Da ist sie, diese Feuchtigkeit, die Unbeständigkeit der Zeit, der Keim des Todes, der Widerpart zur erleuchteten und gereiften Stabilität des Geistes!

FERDINAND: Welch ein Geist!

LENAU: Ein Scharlatan genau nach deinem Geschmack, das ist dein Doktor!

FERDINAND: Und ich kehr um und lasse Sie hier weiter in Ihren großartigen poetischen Phantasien stöbern!

LENAU: Was soll das heißen, du Schwachkopf? Wo bringst du mich hin? *(Greift ihn bei der Jacke)* Los, rede!

FERDINAND: Passen Sie auf, Herr, die Kutsche schwankt schon ganz gefährlich ... Lassen Sie mich los, sonst kann ich nicht mehr lenken. *(Pause)* Sie haben mich mißverstanden!

LENAU: Ich habe ganz genau verstanden! Du willst umkehren! Schau, da sind wieder die Platanen, die blühenden Felder! *(Erregt)* Hilfe, Sophie, Hilfe!

FERDINAND: Beruhigen Sie sich, Herr. Es ist nichts passiert!

LENAU: Elender Hungerleider! Willst du mir alle Hoffnung nehmen, daß ich mir Kopf und Eingeweide von deinem feinen Doktor einplanieren lasse ... *(Greift nach dem Violinkasten)* Ich werde meine Musik und mein Leben mit diesem Instrument verteidigen! *(Schreit)* Hilfe! Hilfe! *(Ferdinand nähert sich, um ihn zu beruhigen, Lenau zieht das Instrument hervor und beginnt zu spielen)* Ich werde dich mit der Kraft der Klänge vernichten!

FERDINAND: Herr!! *(Weicht erschrocken zurück)*

LENAU: Gleich wird die Musik dich betäuben, keine Dummheit ist stark genug, der Kunst die Stirn zu bieten! *(Er spielt aufgeregt)* Keine menschliche Kraft steht dieser höllischen Verzückung entgegen! *(Ferdinand blickt ihn wie versteinert an. Zwei Pfleger laufen herbei und halten Lenau an den Schultern fest)* Hilfe, Sophie, Hilfe! *(Man hört noch einzelne Violinentöne, mit Schreien und Türenschlagen vermischt, ein paar schroffe Befehle, dann nichts mehr)*

2. BILD

(Arbeitszimmer von Doktor Schelling. Im Hintergrund, zwischen zwei großen Fenstern, ein Schreibtisch mit Büchern und verstreuten Papieren. An der Seite ein Sofa. An beiden Seitenwänden von Büchern überquellende Regale, einige Behälter mit chirurgischen Instrumenten, Glasgefäße mit Präparaten von menschlichen Gehirnen. An der Wand beim Eingang eine Anatomie-Schautafel und Schaubilder zur Physiognomie. Schelling geht unruhig im Zimmer auf und ab. Hin und wieder hält er an, führt Selbstgespräche, geht weiter. Die Pfleger reglos und bleich neben der Tür)

SCHELLING: Er hat in sein Inneres geschaut, vermute ich, ins Dunkel, den inneren Abgrund. *(Macht einige Schritte auf die Pfleger zu, hält dabei den Blick starr in eine andere Richtung)*

FERDINAND: Ein enormes Loch, Herr!

PAUL *(halblaut)*: Ein schöner Dreck.

SCHELLING: Den Blick nach unten gerichtet, beginnt er hinabzusteigen, immer tiefer hinab. *(Erblickt Ferdinand)* Warum starrst du mich an, Ferdinand?

FERDINAND: Ein enormes Loch, Herr!

SCHELLING: Da steht er, vor sich das Nichts, und ihr haltet ihn auf. *(Brüllt)* Während er in den Abgrund seines eigenen Körpers schaut, schreit ihr: Achtung, passen Sie auf! Aber die Anziehung ist fatal, er steigt hinab und beginnt den Kampf in seinen Eingeweiden. Die Kanäle verstopfen sich, die Körpersäfte steigen an, und ihr verfolgt eine Erscheinung, einen ungreifbaren Schatten.

PAUL *(halblaut)*: Von wegen Schatten, Dreck!

SCHELLING: Unsichere Symptome, vage Anzeichen.

FERDINAND: Und reichlicher Harnfluß, strohgelb, die launischen, lebhaften Wasser, sagten Sie nicht so? *(Mit Begeisterung)* Wir haben jede geringste Kräuselung vermerkt!

SCHELLING: Aber vor den Überflutungen des Geistes steht ihr dumm da!

FERDINAND: Die Blase ist doch der Spiegel der Seele, Herr, und davon sind wir ausgegangen.

SCHELLING: Und weshalb nicht vom Hirn, das die Stimuli lenkt? Jeder Exzeß schwächt seine Funktionsfähigkeit. So lenken die Körpersäfte den Geist, und die schwarze Flüssigkeit verdunkelt ihn. *(Pause)* Ein unverzeihlicher Fehler! *(Pause)* Man muß den Fluß beobachten, ihn eindämmen.

FERDINAND: Ganz genau, Herr!

SCHELLING *(in singendem Tonfall)*: Zuerst ist der Rhythmus sanft und weich. Der Geist vertändelt sich, die Gedanken gleiten sacht hinweg, die Phantasien parlieren. *(Pause)* Und ihr setzt seinem Gedächtnis zu.

FERDINAND: Ein enormes Loch ...

SCHELLING: ... von dem ihr ihn ferngehalten habt, Unglücksmenschen! Die Augen schließen sich, und in einem Augenblick ist jede Spur von Wahn wieder verflogen!

FERDINAND: Wenn Sie hören würden, wie der im Wahn faselt!

SCHELLING: Er wollte in den Abgrund steigen, und ihr haltet ihn auf, Dummköpfe! So ist er zurückgekommen, mit einer Handvoll Fliegen, wie Orpheus aus der Unterwelt.

FERDINAND *(im Chor mit den anderen)*: Da steht er dumm da!

SCHELLING *(versonnen)*: Ich würde Jahrhunderte der Leere brauchen, um mich von den Mühen der letzten Monate zu erholen. *(Pause)* Mein Leben ist eine Wanderschaft: auf und nieder, von einem Zweig zum andern, wo immer der Dichter seine Gedanken hinlenkt. Denn das Denken ist ein Zugvogel, sagt er. Und am Ende, nach all der Aufregung, kommt ihr daher und haltet ihn an einem Zipfel der Vernunft!

FERDINAND: Aber nein! Wir haben jede seiner Ausschweifungen vermerkt, Herr Doktor!

SCHELLING: Ihr habt überhaupt nichts begriffen! Weder die Pein noch den Schrei, der aus seinen Eingeweiden aufstieg. Ihr habt ihn gepackt, als die überreizten Nerven vom Hirn aus Vibrationen sandten, und die Körpersäfte strömten paarweise zu dem aktiven Körperteil. *(Pause)* Und da zeigen die Bilder menschliche Fratzen! *(Erregt)* Sie sprühen, sie funkeln!

PAUL: Ein richtiges Feuerwerk!

SCHELLING: Und überall Feuerschein! Und ihr Dummköpfe habt gelöscht!

PFLEGER: Aber nein, Herr!

SCHELLING: Und während er die Grenzen seines Körpers überschreitet, haltet ihr die Fäden seiner Seele!

FERDINAND: Was können wir gegen die Überhitzung seines Hirns schon tun? Sie wissen doch, wie sich die Gedanken von einem Moment zum nächsten verdunkeln.

SCHELLING: Idioten!

EMILIE / SOPHIE: Idioten, Idioten!

SCHELLING: Haltung, meine Damen! Denkt dran: Was zur Überflutung drängt, müßt ihr unter Kontrolle halten, ohne den Fluß zu bremsen. Wenn ihr euch so im Kreis dreht *(Versucht einen Kreis zu bilden),* ja, so, so könnt ihr den Wahn umfassen und ergreifen. Eine Menschenkette, so rund wie der Mond ... *(An Pfleger und Bedienstete gewandt)* Kommt her, los, gebt euch die Hand, im Kreis, so, und ich hier in der Mitte ... *(Andere Bedienstete kommen dazu)*

FERDINAND: Sie in der Mitte, und wir im Ringelreihn drumrum.

SCHELLING: Eine vortreffliche Figur. *(Sein Blick fällt auf Sophie, und er zwickt sie in den Hintern)* Welch erfreuliche Rundungen!

SOPHIE: Aua, Sie Flegel!

(Sophie unterbricht den Kreis)

FERDINAND *(leise zu Sophie)*: Doktorhände, meine Schöne ... Du wirst schon sehen, wie die's dir besorgen.

SCHELLING: Silentium! *(Honigsüß)* Schau hier, mein Herz. *(Streichelt ihr den Hintern)* Diese zarte Hügellandschaft ...

FERDINAND *(halblaut zu den anderen)*: Kurven und wieder Kurven, der wird noch verunglücken in diesem Gekurve!

SCHELLING: Los, macht wieder den Kreis! *(Pause)* Aufgewacht, Paul, gib Sophie die Hand! *(Streift ihren Busen)*

PAUL *(ironisch)*: Gestatten die Dame?

SCHELLING *(erregt)*: Da haben wir sie endlich, die Menschenkette, die den Wahn einfängt!

(Schelling zieht Papierschnipsel aus seinen Taschen, wirft sie in die Luft)

PFLEGER *(leise)*: Was macht der denn?

SCHELLING *(wie besessen)*: Da habt ihr sie, seine tausend Geheimnisse, sein chiffriertes Alphabet!

SOPHIE: Das ist ein hübsches Spiel, Herr Doktor! Wörter segeln durch die Luft, und wer wird sie einfangen?

EMILIE *(verärgert)*: Ich weiß nur, daß wir nachher putzen müssen!

SOPHIE *(leise)*: Macht doch nichts, Emilie! Endlich läßt der mal so richtig seinen Irrsinn raus!

SCHELLING *(wirft immer mehr Blätter in die Luft, dann sammelt er ein paar ein)*: Da habt ihr sein Geschwätz, das Geschwafel des Poeten ... Hört mal. *(Liest vor)* Der Weg zum Paradies ist von gebrochenen Blütenknospen bedeckt ...

BEDIENSTETE: Wunderbar!

(Sophie unterbricht den Kreis)

SCHELLING *(erregt)*: Der Kreis, löst den Kreis nicht auf ...

SOPHIE *(amüsiert)*: ... sonst wirkt der Zauber nicht mehr! Dreht euch, dreht euch, im Wirbel der Worte!

SCHELLING: Da habt ihr das Gekritzel von diesem Wahnsinnigen!

FERDINAND *(halblaut)*: Früher oder später werden sie dich auch in den Irrsinn treiben!

(Gelächter der Bediensteten)

SCHELLING: Seid still, sonst entschlüpft uns das Geheimnis! Emilie, komm hierher, neben Ferdinand, und auch ihr andern, los, macht den Kreis enger. *(Befriedigt)* Ja, so! Dreht euch, dreht euch, während ich hier diese Fragmente einer anderen Welt aufsammle. *(Hebt einen Schnipsel auf und liest)* Ich nehme dich auf die Schultern meiner Unsterblichkeit ...

PAUL *(halblaut)*: Ich wär ja verrückt, die Ewigkeit in deiner Gesellschaft zu verbringen!

SCHELLING: ... und trage dich durch den Strom der Vergessenheit.

BEDIENSTETE *(lachen)*: Genial!

SCHELLING: Nein, hinterhältig! Er will jede Spur von uns auslöschen und sich allein als Herr der Dinge aufspielen!

PAUL *(leise)*: Ganz schön schlau, dieser Dichter!

SCHELLING *(mißgünstig)*: Und er schleudert seinen wabbeligen, wäßrigen Körper gegen mich wie eine Waffe. *(Pause)* Er weiß aber nicht, daß ich in Wirklichkeit jede seiner Fasern beherrsche!

FERDINAND *(in wissendem Tonfall)*: Genau, Herr Doktor! Sie stimulieren den Aufruhr der Körpersäfte, die Krämpfe.

SCHELLING: Richtig, Ferdinand!

FERDINAND: Und kontrollieren jede Körperöffnung, da, wo's vom Sichtbaren zum Unsichtbaren geht ...

SCHELLING: Wo es hinabgeht ins Geheimnis.

FERDINAND: Aber das Geheimnis liegt in der Tiefe, Doktor! Lenau hat das gesagt: im Herzen der Welt.

SCHELLING: Laß doch diesen Verrückten! Wir werden ihm zeigen, wie wir das Rasen des Wahnsinns bändigen.

FERDINAND: Aber wie denn, Herr?

SCHELLING: Notieren, registrieren, katalogisieren. *(Pause)* Wir werden ein Netz über sein Leben werfen, in dem jeder Schnipsel, jede Winzigkeit hängenbleibt ... Jeder Seufzer, jeder Blick wird uns gehören, jeder Exzeß wird aufgezeichnet, nichts entgeht uns: weder das Raunen der Gedanken, noch die geheimnisvolle Stimme der Violine. *(Mit Wichtigkeit)* Wir werden seine Seele der Länge und der Breite nach durchkämmen!

PAUL: Gute Reise!

FERDINAND *(gibt ihm einen Tritt)*: Halt's Maul, du Tier, hör auf die Weisheit der großen Geister! *(Zu Schelling)* Das wird sicher keine Spazierfahrt, Herr Doktor!

SCHELLING: Durchaus nicht! Wir werden Gelände durchqueren, das verseucht ist von Spukbildern und Gespenstern.

PAUL *(zu den Frauen)*: O Mädels, wie gruselig!

SCHELLING: Wir werden uns festbeißen im Gewirr dieses kranken Hirns, im Wust seiner Visionen, und die Quelle von all dieser Freiheit finden. *(Erregt)* Wir werden den Klang entdecken, klar und ungestüm. Er wird alle Barrieren überwinden und die in Jahren angesammelten Gewißheiten zerstören ... Aus diesem schwarzen Loch entspringen seine dunklen Worte. *(Hebt ein anderes Blatt auf)* Hört mal, was er schreibt: In der Höll' und ihren Qualen wohnt die Wahrheit.

FERDINAND: Und wenn das eine Falle wäre?

SCHELLING *(verträumt)*: Nein, vielleicht würde Eurydike ...

PAUL *(halblaut zu den anderen)*: Kennt ihr die?

FERDINAND: Wird irgend so ein armes Mädel sein, das da unten gelandet ist.

SCHELLING: ... die Frau von Orpheus, dem mythischen Sänger, irrt zwischen den Schatten umher, während er versucht, sie vor ihrem tragischen Geschick zu bewahren.

EMILIE: Die Arme!

SOPHIE: Sie sollten nicht so traurige Geschichten lesen, Herr!

SCHELLING *(amüsiert)*: Was macht das schon? *(Bewegt sich auf sie zu)* Ich hab dich ja nicht verloren, mein Herzblatt ...

SOPHIE *(macht einen Satz rückwärts)*: ... aber auch noch nicht gekriegt!

(Schelling versucht, sie zu umarmen, aber Paul stellt ihm ein Bein, so daß er stolpert. Der Doktor fällt zu Boden, die Pfleger tun so, als ob sie ihm helfen wollten)

SCHELLING: Was fällt euch ein? Unterbrecht den Kreis nicht, sonst entflieht uns der Strom der Phantasie!

FERDINAND *(zu Schelling)*: Ist nicht so schlimm, Herr Doktor. Wenn die Wahrheit in der Tiefe wohnt, sind Sie jedenfalls nah dran!

SCHELLING *(für sich)*: Idiot!

FERDINAND: Auch Orpheus ist es nicht gelungen, Eurydike zu fassen.

PAUL *(zu den Frauen)*: Kennt der denn diese Eurydike?

EMILIE: Na, der kennt doch so viele Weiber!

SCHELLING *(steht wieder auf)*: Schnell, alle noch mal hierher, steht grad und aufrecht wie die Säulen! *(Der Kreis schließt sich wieder, Schelling schaut befriedigt zu)* Da haben wir unser Ordnungsnetz, die engen Maschen, die sich zuziehen können. *(Begrapscht Sophie)* Nur so kann das Geheimnis sich auflösen. *(Grapscht weiter und deklamiert dabei)* Die großen Geister sind rücksichtslos wie die Natur.

SOPHIE *(versucht sich seiner Aufmerksamkeit zu entziehen)*: Nicht so feurig, werter Doktor!

PAUL *(halblaut)*: Gut, Sophie, gib's ihm!

SCHELLING: Wenn der Dämon der Liebe erscheint, kann ich ihn nicht zurückweisen.

FERDINAND *(brummt)*: Und deshalb betatscht und knautscht er Rundungen, ohne viel zu fragen ... Unverschämter Kerl! Drängt sich an Sophie und starrt Emilie an wie ein Ochs!

SCHELLING *(zieht einen Zettel aus der Tasche und liest, während er sich eng an Emilie drängt)*: Du bist die Herrin der Leidenschaft in den Landen der Einsamkeit.

EMILIE *(schiebt ihn von sich weg)*: Entschuldigen Sie, Herr Doktor, aber hier wird's ein bißchen eng.

SCHELLING: Spürst du nicht die Hitze, die uns verbindet? Was kann ich dafür, wenn mein Blut nicht so ruhig und gleichmäßig fließt wie eine Wasseruhr?

FERDINAND: Wir werden alle Stauungen überwinden!

SCHELLING: Gut, Ferdinand! Dein Mut läßt mein Herz schneller schlagen!

FERDINAND: Wir werden Asthmaanfälle und Vereiterungen bekämpfen, wir werden die Wassersucht eindämmen, die Gehirnerweichung überwinden.

SCHELLING: Das ist Musik in meinen Ohren!

PAUL *(mit Eifer zu Schelling)*: Wir werden jede Stauung kurieren, verehrtester Doktor, mit Wasser und Rum, mit heißem Öl und englischem Salz, mit Centaurea und Orangenblättern.

SCHELLING *(ungeduldig)*: Hör auf mit dem Quatsch! *(Starrt Paul an)* Du solltest lieber mal die Schriften der Königlichen Akademie der Wissenschaften zu Berlin und das Arzneibuch aus Edinburgh lesen …

FERDINAND: … und das aus Paris.

SCHELLING: Richtig, Ferdinand! *(Schaut Sophie lüstern an)* Die Kräfte des Verstandes unterliegen meinem Begehren. *(Nähert sich ihr und berührt ihren Busen)*

SOPHIE: Herr Doktor, ich spür so ein Kribbeln.

SCHELLING: Halt es aus, meine Holde.

SOPHIE *(für sich, amüsiert)*: Hier werden wir gleich noch was erleben!

SCHELLING: Ich bin bereit!

FERDINAND *(ein bißchen nervös)*: Herr Doktor, denken Sie dran, daß exzessive Erregung die Fasern reizt und das Leben verkürzt!

SCHELLING: Unfug! *(Will sich auf Sophie stürzen, während er deklamiert)* Der Poet hat geschrieben: Auf, ein tüchtiger Reitknecht, vorwärts, während die Sonne sich neigt. Du wirst über weite Wiesen galoppieren, und ich kehre zurück, meine Liebe zu sehn …

PFLEGER *(im Singsang)*: Meine Liebe zu sehn! *(Sie ergreifen ihn und werfen ihn mehrmals in die Luft. Dann lassen Sie ihn auf dem Boden liegen und singen)*

Hand in Hand im Kreise drehn,
es erheben sich Wirbel,
um die Welt sie gehn.

(Werfen gemeinsam Schelling in die Luft)
Hoppla und noch mal hoppla!
Der Geist der Nacht sät Angst umher,
der zieht durch dunkle Lüfte schwer.

SCHELLING *(jammernd auf dem Boden)*: Verdammtes Pack!

FERDINAND: Eine magische Kraft, Herr Doktor, die Seelen und Körper erhebt ... Wir sind Opfer einer Zauberei.

SCHELLING: Ach, verdammtes Volk, denkt ihr, ich bin eine Puppe?

PAUL: Eine Kraft hier drinnen, Herr Doktor, ein Zittern in den Händen.

SOPHIE: Ein seltsames Kribbeln.

SCHELLING: Auch du, meine Holde.

EMILIE: Im Kreis war auf einmal ein Schatten ...

PAUL: ... der alles herum verdunkelt.

SCHELLING: Unsinn, Paul!

FERDINAND: Der Geist des Dichters, Herr Doktor!

SOPHIE *(halblaut zu Emilie)*: Gib mir so einen Schnipsel, schnell. *(Liest)* Erscheinen Larven rings, Vampire, Drachen, Gnomen ...

FERDINAND *(leise)*: Was liest du da, willst du ihn noch mehr aufregen?

SOPHIE: Aufregen? Meinetwegen soll er verrückt werden, daß er runterrollt in den Abgrund, zu seinem Patienten.

PAUL *(hat eine Handvoll Schnipsel aufgesammelt und deklamiert)*:
Der Kreis schwingt und hält
tanzende Geister
mit ihrem Meister
im Wirbel der Welt.

BEDIENSTETE *(drängen sich, von dem Lied angeregt, um Schelling, der am Boden hockt, und zeigen mit dem Finger auf ihn, während sie singen):*
Dann schaut ein Dämon
auf das Gemache
von diesem Meister,
mit Hohngelache
fliehen die Geister.

SCHELLING: Ich bekomme keine Luft mehr! *(Pause)* Dämonen sind meine Geschöpfe! Sie nähren sich vom Feuer des Wahnsinns.

Und das wollt ihr löschen, den Feuerschein vernichten, der mein Leben leitet!

BEDIENSTETE *(drängen sich um ihn)*:

Dann schaut ein Dämon
auf das Gemache
von diesem Meister,
mit Hohngelache
fliehen die Geister.

SCHELLING: Ich krieg keine Luft mehr! *(Brüllt)* Lenau! Lenau!

BEDIENSTETE:

Es dräut ein Chaos,
ein Sturm, ein Sausen.
Hörst du den Tanz?
Ein Dämon naht
mit schaurigem Brausen.

(Sie inszenieren einen makabren Tanz um Schelling, der sie panisch anstarrt)

SCHELLING *(mit erstickter Stimme)*: Die Erinnerung des Wahns breitet sich ungreifbar aus, mit Vibrationen und wirren Stimmen. *(Pause)* Ich irre durch Wüsten, wo jedes Echo verhallt, und die Klänge gleiten davon …

BEDIENSTETE: … auf und davon!

SCHELLING: Ein Geraune steigt hinab zum Herzen der Erde. *(Pause)* Wir müssen diese Litanei der Einsamkeiten festhalten! Sonst löst sie sich auf, wir müssen sie halten.

SOPHIE *(freundlich)*: Beruhigen Sie sich, Herr Doktor!

SCHELLING: Lenau! Lenau!

SOPHIE: Was denn?

SCHELLING: Ich will die Labyrinthe seines Gehirns durchstreifen, bis dahin, wo der Schrei und die Stille sich berühren. *(Pause)* Auspressen will ich diese Seele, sie verwandeln in eine farbige Masse von Gedanken. *(Pause)* In einem verborgenen Winkel will ich auf den Herzschlag lauschen, von dem alle Bewegung ausgeht. *(Pause)* Ich will die Schöpfung umstürzen, um ihren formlosen Ursprung zu erkennen. Und unten, auf dem Grund, will ich die große Fratze entdecken, die wie ein welker, erloschener Mond dahintaumelt. *(Pause)* Dort hinunter in wilder Einsamkeit.

BEDIENSTETE: Nein, mit uns, Herr!
SCHELLING: In wilder Einsamkeit.
BEDIENSTETE *(langsam)*: Zusammen mit uns.
SCHELLING: In wilder Einsamkeit.
(Schelling sinkt zusammen. Die Pfleger heben ihn hoch und legen ihn auf das Sofa. Dann rezitieren sie weiter)
BEDIENSTETE:

Es dräut ein Chaos,
ein Sturm, ein Sausen.
Hörst du den Tanz?
Ein Dämon naht
mit schaurigem Brausen.

(Es ist fast dunkel. Die Bühne leert sich allmählich)

3. BILD

(Raum mit einem Tischchen, einem Sofa und ein paar alten Stühlen. Bekritzelte Blätter, alte Partituren, Brieffetzen überall verstreut. Auf einer Seite ein Kaminfeuer, in der Mittelwand ein versteckter Sehschlitz in der Tapete, durch den die Vorgänge im Raum beobachtet werden können. Lenau sucht etwas in höchster Aufregung)

LENAU *(kniet nieder und fuchtelt mit den Händen unter dem Sofa herum)*: Wo bist du nur hin? Ausgerechnet jetzt, wo ich den Kopf voll von Semicromen habe. Komm raus! Da soll man noch den Zimmermädchen trauen! Versteck sie hier drunter, hatte ich ihr gesagt, wenn Schelling sie sieht, gibt es Ärger! *(Mit tuckiger Stimme)* Ja, Herr, sofort! *(Pause)* Und jetzt? Wo ist sie? Da soll man noch jemand trauen! Ich habe noch gesagt: Nicht den Kasten so umdrehn, das ist doch eine sensible Kreatur! Aber die, mit ihren groben Pranken, knallt ihn einfach im Zimmer herum. *(Pause)* Sei vorsichtig mit den Wirbeln, mit dem Griffbrett! *(Wühlt weiter unter dem Sofa herum, dann erhebt er sich für einen Moment und schaut um sich)* Da hat doch dieser elende Doktor seine Hände im Spiel! Der will ja am liebsten alles einbalsamieren: Klänge, Instrumente … Er sammelt sie wie die Gehirne, legt sie in seine Reliquienschreine und zischelt: Was wir brauchen, ist ein umfassender Katalog der Stimmen, aller Akkorde der Natur. Jeder Hauch, jeder Atemzug, jeder einzelne Ton … So ein Idiot! *(Sucht aufgeregt weiter)* Wo bist du nur hin? *(Pause)* Ausgerechnet jetzt, wo ich eine Melodie im Kopf habe, und die Klänge in mir nur so herumspringen … Wo bist du hin? *(Pause)* Ich träume von deinem weichen, geschwungenen Leib, von deinem wohltönenden Körper, von deinen Adern, die verschlungene Linien zeichnen wie die Läufe der Zeit. *(Pause)* In dir finde ich alle falschen Klänge des Lebens und alle himmlischen Harmonien … Ein Geheimnis, das mein Schicksal wieder aufrichtet und das diesen Quacksalber und sein Gefolge erschüttern wird. *(Pause)* Der verstrickt sich in Philosophie, armer Tropf! *(Ahmt ihn nach)* Schon Plutarch empfahl Hygienemaßnahmen für ein Leben in der Vernunft und eine gute Massage mittels der Reflexion … Das muß man sich mal vorstellen! Und der hat die Stirn, mir zu sagen: Mißtrauen Sie den Bildern, werter Dichter, und seien Sie vorsichtig mit den Klängen. Die rufen subkutane Ansammlungen von Körpersäften hervor und zerebrale Instabilität … Eine schöne Philosophie! *(Pause)* Der würde mich am liebsten seinem Museum einverleiben, meine Violine begrapschen und mein Gehirn ausschnüffeln. *(Pause)* Ständig wiederholt er: Die Violine ist reiner Geist, menschliche Stimme in Materie verbannt, früher oder später werde ich das Geheimnis entschlüsseln. *(Pause)* Elender Spinner! Ich würde dich meine Tonleitern rauf- und runterklettern lassen, du wirst über Crome und Biscrome stolpern wie ein Kind, das die ersten Schritte versucht, und du wirst dir den Schädel brechen. *(Kichert)* Das magische Spiel des Bogens wird nie dein Alphabet sein, du wirst immer hinterherhinken und dich in der Wüste des Verstandes verirren. *(Läuft im Zimmer herum und schreit)* Aber wo ist sie?! Wo ist sie?! Ob Ferdinand sie genommen hat? Er benahm sich so servil … Halten wir doch hier an, sagte er, die Pferde sind am Ende, und dabei griff er nach meiner Guarneri. *(Pause)* Finger weg, verdammter Kerl, das ist doch nicht so ein Holzknüppel wie die Dinger, auf denen dein Herr herumfidelt! Das ist ein Instrument Gottes, älter als die Zeit, zarter als die Stimme einer Verliebten. Sie hat einen heldischen Klang, sie kann Wunder bewirken! *(Kichert und nimmt die Position des Spielens ein)* Ich werde bis zum Sol emporsteigen, dann werde ich mit atemberaubendem Sturzflug auf den großen Mißklang herabstürzen. *(Mit großer Wut)* Und ein Schlund wird sich auftun und Schelling mitsamt seinem Gesindel verschlingen! Und wir beide, Sopherl, werden über die silbernen Leitern der Klänge emporsteigen. Lange, gehaltene Vibrationen, klare Töne wie von Kristallglocken … Wir werden aufsteigen inmitten von Gavotten, Sarabanden und Präludien. *(Mit einem Seufzer)* Aber du, wo bist du nur?

SCHELLING *(hinter dem Beobachtungsschlitz, die Stimme klingt etwas entfernt)*: Soll der Verrückte nur schreien.

FERDINAND: Das ist ja sein Metier.

SCHELLING: Der würde mich am liebsten zerstören mit seiner Musik.

LENAU *(Stimme hinter der Bühne, schreit)*: Das Zimmermädchen soll kommen!

FERDINAND: Er wird wütend, Doktor, und dann werden doch die Körpersäfte ins Stocken kommen, wie Sie immer sagen.

SCHELLING: Aber er findet immer wieder einen Weg da heraus. Der Wahnsinn macht ihn frei. Er wankt, aber dann steigt er wie in einem Klangbogen wieder auf in schwindelerregende Höhen, und dahin kann ich ihm nicht folgen. *(Pause)* Er ist dann so hoch oben ...

PAUL: ... und furzt so tief unten!

SCHELLING *(gnomisch)*: Ich bewundere das Werk, das die Natur in solch ein schwindelerregendes Spiel zwischen Himmel und Erde zwingt.

LENAU *(in höchster Wut)*: Komm raus! Komm endlich raus!

FERDINAND: Geben Sie ihm doch das Instrument zurück, Herr!

SCHELLING: Damit er darauf rumstottert und -hackt? Und seine ungeheuerlichen Mißklänge ertönen läßt, die mich von oben bis unten durchdringen?

FERDINAND: So können wir was aus ihm rauskriegen!

SCHELLING: Mißklänge, nichts als Mißklänge! Mit seinem verhexten Bogen schneidet er mir in die Seele.

LENAU: Die Guarneri, die Guarneri! Gebt mir meine Violine wieder!

FERDINAND: Doktor, schauen Sie doch, wie ihm die Augen hervorquellen! Sie müssen eingreifen, sonst zieht es ihm den Hals zu, und sein Körper wird starr wie ein Eiszapfen!

LENAU: Sophie, Liebste, meine Violine ... Sie ist verschwunden! Der verdammte Quacksalber!

FERDINAND: Hören Sie das, Doktor? Er spuckt ja nur Gift und Galle! So werden wir nichts erfahren.

LENAU: Deine Stimme schweigt, Sophie, wenn ich meine Violine nicht habe. *(Pause)* Verdammtes Volk! Wo können sie sie nur hingetan haben?

SOPHIE *(hinter dem Beobachtungsschlitz)*: Wie sensibel und gefühlvoll, dieser gestörte Mensch, eine echte Künstlernatur.

SCHELLING: Komm nicht durcheinander, mein Herz! Er spricht von einer Geliebten der Wiener Zeit, die nur zufällig so heißt wie du!

SOPHIE: Na und, meinen Sie vielleicht, ich könnte mich nicht sehn lassen?

SCHELLING: Aber sicher doch, mein Schatz. *(Zwickt sie in den Hintern)* Du hast ein Figürchen wie eine Melodie!

SOPHIE: Aber Sie sind ein arger Mißklang, Herr Doktor!

(Die Frauen kichern)

SCHELLING: Das wollen wir doch mal sehn! *(ergreift die Violine, die neben ihm liegt, und riskiert ein paar Töne)*

LENAU *(lauscht wie versteinert)*: Ein zartes Do, das anschwillt und wieder abfällt. *(Pause)* Wer den Bogen so über die Saiten zieht, hat verdient, zwischen den zornentbrannten Klängen zu verbrennen!

SCHELLING: Der Dummkopf meint, daß ich nicht spielen kann! *(Insistiert und versucht eine Melodie)*

LENAU: Wo ist sie? Das strauchelt, springt, stirbt in der Höhe. *(Erregt)* Wer stolpert da auf meiner Violine herum?

SOPHIE *(zu den anderen)*: Sagt doch was!

SCHELLING: Sei still! Vielleicht führt er uns so endlich in die finstersten Bereiche seiner Seele.

FERDINAND *(geheimnisvoll)*: Das ist Treibsand, Herr Doktor.

SCHELLING: Ich weiß, leibliche Vergnügen sind gesünder als dieses Vagieren im Geistigen! *(Lacht)*

PAUL *(für sich)*: Endlich mal eine gute Nachricht!

SCHELLING *(beginnt wieder zu spielen)*: So, ein leichtes Vibrato, das Sticheln. *(Geht über zu tieferen Tönen)* Und jetzt ein dunkler Klang: ein kleines Nachtstück.

LENAU *(geistesabwesend)*: Welch gefühlloser Klang, welch unsauberes Zerren! *(Sieht sich um, macht ein paar Schritte, starrt vor sich, ohne etwas zu entdecken)* Wo ist sie?

SOPHIE *(in einer plötzlichen Anwandlung)*: Hier!

SCHELLING: Ruhe!

BEDIENSTETE *(wiederholen mehrmals vergnügt)*: Hier! Da! Da unten!

LENAU *(hört die Violine noch)*: Welch ein Gekreische! Als wollte jemand die Barriere zwischen mir und der Welt einreißen. *(Der Klang wird lauter)* Da, dieses Crescendo, fast wie eine Allemande, die die menschliche Stimme nachahmen will ... deine Stimme, Sophie?

SCHELLING: Die Musik allein genügt nicht: Der Kerl ist gerissen, er hat mysteriöse Eingebungen, er ahnt den Angriff und schmettert ihn ab. *(Pause)* Mit seinen eigenen Worten soll er sich verraten.

SOPHIE *(gerührt)*: Hört doch, er ruft immer wieder Sophie!

PAUL *(zu Sophie)*: Was für ein Glück für dich, mein Kätzchen! *(Lacht)*

SCHELLING: Ferdinand, der Dichter ist in höchster Erregung, es scheint mir ein günstiger Augenblick.

FERDINAND: Lassen Sie ihn doch spielen, geben Sie ihm sein Instrument!

SCHELLING: Damit ihm seine Seele in die Finger gleitet, und die Musik uns sein Geheimnis enthüllt? Mit dem Instrument in der Hand macht der uns alle nieder! Sein Spiel hat so was Morbides, das verhext die Menschen, betäubt …

PAUL *(leise, boshaft)*: … und damit wirst du in die Hölle geschickt!

(Schelling hat wieder zu spielen begonnen)

FERDINAND: Aber Herr Doktor, wenn Sie spielen, wird der Patient mißtrauisch!

LENAU: Noch mehr Dissonanzen: welch anmaßender Stolz! *(Für sich)* Die Wand spuckt Mißtöne aus. *(Pause)* Hier gehen feindliche Geister um … Gib acht, Lenau!

SCHELLING *(für sich)*: Du wirst sie gleich hören mit Sprüngen und Läufen! *(Spielt)*

LENAU: Ein Stich ins Herz! Gib mir ein Instrument, und ich werde dein Gekrächze zum Verstummen bringen.

SCHELLING *(erregt)*: Ich werde jeden einzelnen deiner Gedanken mit schrillen Tönen aufspießen! Ich werde dich die wahre Harmonie lehren, und du wirst endlich aus der Deckung kommen.

LENAU: Diese verfluchte Stimme und jetzt wieder die feuchte Stirn. *(Beginnt zu schwitzen)* Sophie, meine Violine! Wer ist das? Wer ist das?

SOPHIE: Hören Sie nicht, Herr Doktor?

SCHELLING: Natürlich. Er hechelt meinem Flug hinterher.

FERDINAND: So erreichen wir überhaupt nichts!

SCHELLING *(verärgert)*: Was weißt du schon von den Geheimnissen dieses anmaßenden Menschen?

(Lenau beginnt wieder, im Zimmer herumzutoben. Schelling wendet keinen Blick vom Beobachtungsschlitz)

FERDINAND: Sollte man nicht die Schweißausbrüche eindämmen und das Geschrei? Sonst finden wir ihn am Ende ohne Atem und mit verdrehten Augen.

SCHELLING: Sollte man nicht, sollte man nicht! Kaum hast du ein bißchen gelesen, beginnst du zu dozieren! Laß ihn nur toben und phantasieren! *(Schaut durch den Schlitz)* Jetzt fängt das Spektakel erst richtig an! Er zerfetzt Dutzende von Blättern, schaut nur! *(Alle drängen sich um den Beobachtungsschlitz)*

LENAU: Weg mit all diesen Briefen, diesem Meer von Worten, in denen ich mein Glück ertränkt habe. *(Zerreißt Briefe und wirft alles ringsherum)*

SCHELLING: Gleich haben wir ihn!

SOPHIE: Er tut mir leid ... man muß doch was tun!

PAUL: Tröste mich, mein Schatz, ich werd dir zeigen, was Glückseligkeit ist! *(Versucht vergeblich, sie zu ergreifen)*

SOPHIE: Idiot! Dich berührt nicht mal so ein Herzensdrama!

PAUL *(nimmt ihre Hand und hält sie auf seinen Bauch)*: Fühl mal, mein Kind, was für ein Herzklopfen!

SCHELLING: Ruhe! Im Namen der Wissenschaft!

FERDINAND *(in feierlichem Ton)*: Das ist ein heikler Moment.

SCHELLING: Starrt ihn an, schafft ein Geflecht aus Blicken um ihn herum, das ihn erstickt, und wenn er sich dann ganz verloren fühlt, wird er doch endlich die Spiele seiner Phantasie aufdekken müssen und uns das Geheimnis enthüllen, das ihn immer wieder vom Gewicht der Existenz befreit!

LENAU *(zerreißt weiter Papiere)*: Wo bist du nur? Sophie, Sophie!

SOPHIE: Was meinen Sie, Herr Doktor, soll ich gehen?

SCHELLING: Bist du verrückt? Der brüllt doch wie eine Bestie!

SOPHIE *(mit tiefster Überzeugung)*: Aber er ist doch ein feiner Herr, ein Träumer!

PAUL: Schau, schau ... das Kätzchen hat's mit überspannten Hirnen.

SCHELLING *(zögernd)*: Was meinst du, Ferdinand? Ist das eine gute Idee?

FERDINAND: Keine gute, Herr, eine ausgezeichnete!

SOPHIE *(begeistert)*: Ausgezeichnet, wunderbar! So bereiten wir wenigstens diesem Geschmachte ein Ende!

LENAU *(einen Brief in der Hand)*: Da! Was für ein Zeug ich geschrieben habe! Gejammer, Selbstmitleid, nichts als Lug und Trug ... *(Pause)* Ich sagte zu ihr: Sophie, wann werden wir einander gehören, ich will deine liebenden Augen mit Küssen bedecken ...

PAUL: Wenn der verrückt ist, na dann ein Hoch auf die Verrücktheit! *(Zu Sophie gewandt)* Wenn du zu dem rübergehst, meine Süße, der wird dich fressen! Und wenn du hierbleibst, freß ich dich! *(Versucht sie zu greifen, aber Sophie entwischt ihm)*

SCHELLING: Was ist denn nur los mit euch?!

FERDINAND: Nichts, Herr, gar nichts.

LENAU *(unruhig)*: Nichts und wieder nichts! Nur Gekritzel auf dem Papier, unnütze Gedanken! Eine Tintenflut, die mich unter sich begraben hat, Lawinen aus Worten, aber nie dieser Körper, nie... Sie wollte die Poesie, ich wollte sie! *(Pause)* Ein kleinbürgerliches Frauenzimmer auf der Suche nach höhergeistigem Erleben, das war sie! *(Pause)* Das Leben ist infam, eine wilde Jagd, die uns hin und her hetzt.

PAUL: Weise Worte, mein lieber Dichter!

SCHELLING: Vielleicht hast du recht, Ferdinand, vielleicht fehlt nur noch ein kleiner Schritt. Sophie, geh für unsere Sache!

SOPHIE: Ich bin bereit, Herr Doktor!

LENAU *(in höchster Erregung)*: So ist das Leben! Es quetscht jede Hoffnung aus dir heraus und tröpfelt davon wie der Schweiß ... *(Schwitzt wieder)* Verdammtes Wasser! *(Sucht einen Lappen, um sich die Stirn zu trocknen)* Und was wird dann bleiben von dieser Seele, die in sich das Geheimnis der Schöpfung trägt ... die der Materie einen Sinn verleiht im Bild, im Gesang ... *(Erregt)* Es wird eine Sintflut sein, die jeden Schurken niederwirft und Schelling mitsamt seinen Handlangern wegschwemmt!

SCHELLING: Verdammter Kerl! Wir werden ja sehen, wessen Zeit zuerst um ist!

FERDINAND: Dieser Irre scheint einen Plan zu haben.

SCHELLING: Und wir, Ferdinand?

FERDINAND: Wir halten uns an unseren, Doktor!

PAUL *(sarkastisch)*: Verlassen Sie sich drauf, Doktor!

SOPHIE: Ich warte immer noch.

FERDINAND: Laß ihn sich nur erst ordentlich austoben, dann ist deine Aufgabe gleich leichter.

LENAU *(mit veränderter Stimme)*: Briefe, nichts als Briefe an mich selbst! *(Pause)* Gedächtniskrümel: ein Monument der Verlogenheit! Vielleicht sind es Träume, die ein Gott niedergeschrieben hat, um meine Existenz damit zu bevölkern. *(Pause)* Ja, ein Gott, der mich auf die Glückseligkeit jenseits des Grabes verweist! *(Pause)* Wenn meine Hand sich dir näherte, deklamiertest du Verse. *(Pause)* Während mein Mund sich sehnte, berauschtest du dich an Worten. *(Brüllt)* Worte, Worte! Das Verlangen vibrierte in jeder Faser deines Körpers, und du ...

SCHELLING: Wie beredt, unser Poet.

SOPHIE: Ergreifend!

LENAU: ... und du sprachst mir von Schmerz! *(Pause)* Ich hätte dich da, wo wir waren, niedergelegt, ich hätte dich dir selbst geraubt! Mit diesen meinen Händen wollte ich dich überall liebkosen, und du nanntest sie ungeschickt, grob und wundersam! Hände der Poesie, sagtest du, aber es waren Gliedmaßen der Leidenschaft!

PAUL: Fängt an, mir zu gefallen, der Dichter!

SOPHIE: Ein Gigant! Rauh und rücksichtslos wie die Natur!

LENAU: Die Poesie: das Drama eines ganzen Menschenlebens! Ich stand am Fenster und beobachtete den Himmel, und dabei entfernte die Erde sich immer mehr. Ich war ein Objekt für die Vitrine, ein kleines, zerbrechliches Nippfigürchen für deine bürgerliche Einrichtung. Mit mir kam ein frischer Wind in dein Leben, mit dem alten Hypochonder, der in meinen Eingeweiden steckt. *(Schwitzt)* Da fängt die verdammte Stirn wieder an zu tropfen. *(Pause)* Auch du, Sophie, wolltest genau wie alle anderen nur einen Blick ins Innere dieses erbärmlichen Körpers werfen ... Du wirst gedacht haben: Na, wo steckt denn das Geheimnis? Wie kann in diesem wirren, plumpen Kopf nur soviel Musik stecken?

PAUL: Das könnten wir ihm erzählen! *(Lacht)*

FERDINAND: Allerdings, Paul!

LENAU: Ganz zart war die Verzweiflung, die ich spürte, und pechschwarz. Du nanntest das Sehnsucht: wie ich immer wieder ins Leere griff, das Nichts verfolgte ... *(In gnomischem Ton)* Ich bin einer, der kein Talent hat zum Leben. Aus der Gegenwart vertrieben, warte ich auf Dinge, die nie geschehen werden ... Ich ging fort von Wien, aus Angst vor deiner Zurückweisung. Du sagtest: nicht jetzt, nicht hier, sei brav, lies mir dein letztes Gedicht ... Und ich, dumm und hilflos in meiner Erregung, die mir den Atem abschnürte, mit bebenden Händen, mit Augen, die deine Haut abtasteten ... Ich stotterte irgend etwas, nur um dir zu gefallen. Du begeistertest dich, während ich von Kälteschauern geschüttelt und von innerem Feuer verzehrt wurde. *(Pause)* So glitt dein Körper zwischen den Versen an mir vorbei ...

SOPHIE: Welch flammendes Herz!

SCHELLING *(leise zu Ferdinand)*: Nicht, daß sich das Mädel in diesen Irrsinn vernarrt?!

FERDINAND: Sei'n Sie ruhig, Doktor, wir sind ja da.

SCHELLING: Sollten wir nicht doch besser eingreifen?

FERDINAND: Gerade jetzt, wo er dabei ist, zu bekennen? Hören Sie doch nur, Doktor!

LENAU: Ich wanderte einen schmalen Grat entlang, der alles Leben überquert. Dein Körper war meine einzige Sicherheit: Ich begehrte ihn und wies ihn zurück in jedem Augenblick. *(Pause)* Ich ging fort von Wien, und er verfolgte mich, in der Kutsche, auf dem Schiff ... Und wenn ich dort war, nah bei dir, mit brennendem Gesicht, entfernte er sich gnadenlos ... *(Brüllt)* Verdammt sollst du sein! Du hast ihn benutzt, um mich zu zerstören!

SCHELLING *(im Diagnoseton)*: Unheilbare sexuelle Besessenheit.

PAUL *(leise)*: Ich möchte den mal sehn, wenn er grade dabei ist, sich ins Vergnügen zu stürzen, und ihm seine schöne, warme Unterlage wegschlüpft! *(Lacht)*

LENAU *(mit wachsender Erregung)*: Ich wollte deinen Körper, Sophie, und du suchtest Seelenverwandtschaft. Du erfandest Geschichten. *(Pause)* Einmal erzähltest du mir von einem Ungarn, der mit einem Boot auf der Donau unterwegs war. Er hatte weder Nahrung noch Getränk bei sich, nur einen grünen Kranz, den er mit einem Stock wie eine Fahne am Bug befestigt hatte. Und du sagtest zu mir: Ist das nicht das Bild eines Dichters? Ist das nicht dein Schicksal? Auch du treibst ohne ein Ziel durchs Leben, zwischen tückischen Strömungen suchst du ein Ufer, aber weist jedes materielle Gut zurück ... Der Lorbeer hat deine Stirn geziert, aber er hat sie nicht vor den Unbilden dieser rohen Zeit schützen können ... Und dann fügtest du hinzu: Deshalb bist du jetzt krank! *(Tobend)* Krank, ich, der ich bereit war, jedes Begehren deines Körpers zu erfüllen, ihn niederzuwerfen, bis du keine Stimme mehr gehabt hättest, bis du nur noch gestöhnt hättest vor Lust! *(Brüllt)* Sophie, du hast mich in den Abgrund gestürzt! Du hast aus mir einen kraftlosen Unglücksmenschen gemacht!

SCHELLING: Jetzt, jetzt ist er geladen, er schäumt, die Erinnerungen springen hin und her wie Billardkugeln, wir müssen sie nur einsammeln, alles rein in den Sack, und hier muß ihn jetzt jemand lenken!

PAUL: Ich fürchte, Sophie ist ein bißchen aus der Übung? *(Lacht)*

SOPHIE: Was weißt denn du!

FERDINAND: Los, Sophie, geh durch die kleine Tür rein, er steht mit dem Rücken dazu, jetzt sieht er dich nicht.

SCHELLING: Nimm die Violine, mein Engel, leg sie ihm da irgendwo hin.

SOPHIE *(zögernd)*: Ja gut, ja ...

(Sophie tritt in Lenaus Zimmer. Er starrt das Kaminfeuer an)

SOPHIE: Herr ...?

LENAU *(wendet sich um)*: Wer ist da?

SOPHIE: Ich, Herr ...

LENAU: Du ... wer?

PFLEGER *(von draußen)*: Na los, nur Mut!

SOPHIE *(zögernd)*: ... Sophie ...

LENAU: Wie?? Sophie?

SOPHIE: Ja, ich bin's, und ich hab das Instrument mitgebracht!

LENAU: Oh, holdes Gespenst, du ferne Stimme der Erinnerung.

SOPHIE: In Fleisch und Blut, Herr, hier bin ich mit Ihrem Instrument.

LENAU: Widerspiegelung meiner Gedanken ... Du kommst, weil ich dich suche, weil ich dich will. *(Pause)* Welche Kraft doch mein Begehren noch hat!

SOPHIE: Enorme Kraft, Herr!

LENAU *(lacht vor sich hin)*: Welche Kraft! *(Schlägt sich selbstzufrieden auf die Brust)* Hier drinnen bin ich noch so stark wie mein alter

Adjutant Trabalik, der mir die Stiefel wichste und mich dann einfach in die Luft hob und sagte: Sehen Sie, Herr, heute sind Sie dem Himmel ein Stück näher! Das war ein Riese! *(Pause)* Einmal fand ich ihn, wie er während eines Festes in einer Ecke des Gartens hockte. Er hatte einen ganzen Schinken in der Hand, den er in der Küche gestohlen hatte. *(Lacht)* Er hantierte mit diesem Ding, als wär's eine Flöte.

SOPHIE: Und hier ist das Instrument für Sie. *(Hält ihm die Violine hin)*

LENAU *(reißt sie ihr erregt aus der Hand)*: Die Guarneri, meine Seele, die Guarneri! *(Berührt sie, streichelt sie, küßt sie)* Wo warst du nur? Warst du unterwegs, um anderswo Wellen von Lust auszulösen, um vertrocknete Geister wiederzubeleben? *(Zwischen ein paar Akkorden)* Hör nur, Sophie, die Klänge sind wie Tau, der auf die Seele fällt, und heben zum Flug ab wie Zugvögel. Sie gehen nieder, wo es ihnen gefällt ... sie können ihre zarten Krallen in Klauen verwandeln, die eine Beute schlagen und entfleischen.

SCHELLING *(mit wachsender Neugier)*: Die Stimme wird bedrohlich, er nähert sich der Krise.

FERDINAND: Seien Sie nur ruhig, Herr, Sophie ist ein begabtes Mädchen.

LENAU *(beginnt wieder zu spielen)*: Sie gehen um die Welt, diese Klänge, sind frei wie ich. Sie hängen am Leben wie das Herbstlaub am Baum. *(Unterbricht sein Spiel und starrt Sophie an)* Aber du bist nicht Sophie!

SOPHIE: Doch, sicher, Herr!

LENAU: Nein, nein, ich weiß nicht, wer du bist ... Ich will brüllen, daß das Himmelsgewölbe aufreißt und mir die volle Wahrheit enthüllt!

SOPHIE: Ich bitte Sie, Herr, Sie müssen mir glauben! Ich bewundere Sie, ich verehre Sie ... Ein Geist wie der Ihre ...

LENAU: Weg, hinweg von mir! *(Schreit)* Zimmermädchen!

SOPHIE: Schreien Sie doch nicht, Herr, ich höre Sie, ich bin doch hier.

LENAU: Du immer noch ... das Zimmermädchen, Sophie, die Violine ... *(Denkt nach)* Ja, das ist die Lösung, die Stimme der Violine wird jede Spur löschen und meine Gedanken fortsaugen aus dem Leben. *(Beginnt leidenschaftlich zu spielen)* Ja, jetzt, so! *(Tanzt und springt)*

SOPHIE *(verängstigt)*: Herr, ich bin hier, um Ihnen zu helfen.

LENAU *(erregt)*: Bleib mir vom Leibe! Du hast einen Abgrund vor meinen Füßen aufgetan, und nur die Musik hält mich. *(Pause)* Der Bogen, die gespannte Haltung des Arms, zwei starke Stäbe, die mich stützen. *(Mit Begeisterung)* Schnell gleiten die Finger über das Griffbrett der Violine, ein zartes Crescendo, und die Musik besänftigt das Universum ...

SCHELLING *(schreit)*: Du wirst von deinen Klängen überrollt werden!

LENAU: Wer ist da draußen? *(Zögernd)* Das ist doch der Quacksalber, dieser Schuft?! *(Zu Sophie)* Und du bist seine Dirne!

SCHELLING: Ich werde ihm die Seele aus dem Leib reißen mit der Kraft der Musik! *(Auch er beginnt wieder zu spielen)*

LENAU: Ah, da ist er ja! Er hat eine Idee im Kopf, ein Thema, wenige holpernde Takte, die nicht weiterkommen.

SCHELLING: Mit einer einzigen leichten Note, die sich aufbläht wie eine Orkanwolke, die die Welt überschattet, mit dieser einen Note werde ich deine Hexerei wegfegen!

LENAU: Der ist verrückt!

SCHELLING *(lacht gereizt auf)*: Verrückt, sagt er zu mir! Zu mir!

BEDIENSTETE *(im Chor, leicht bedrohlich)*: Zu dir! Zu dir!

(Sie drängen ihn gegen den Beobachtungsschlitz)

SCHELLING *(aufgebracht)*: Weg da! Was macht ihr denn?

BEDIENSTETE *(bedrohlich)*:

Es klingen Schläge wie Donnerhall,
Schwärme von Larven, Kobolden wild.
Zwischen ihm und dir nichts als Mißton
aus Klängen, blinde Welten zum Hohn.

SCHELLING *(befreit sich mit einem Ruck)*: Das werden wir ja sehn! Dieser Klang ist fest und rein!

LENAU: Hört ihn nur, den reinigenden Geist! *(Leise)* Mein Leben liegt in anderen Regionen! *(Wie versunken)* Ich bin ein Relikt, ein Zweifel.

SOPHIE: Sie sind ein Dichter, Herr.

LENAU: Nein, ich bin wie ein defektes Stück, das jeder Arbeiter wegwirft, das jeder Handwerker zurückweist ... es ist kein Platz für mich im perfekten Mechanismus der Welt.

SOPHIE: Aber Ihr Herz hat grenzenlose Räume!

PAUL *(wütend)*: Das dumme Mädel hat sich von diesem Verrückten einfangen lassen!

SCHELLING *(spielt bedrohlich)*: Da, ein Sprung, ein Flug, vorwärts, vorwärts, und alles gleitet zurück in weiten Klangspiralen.

BEDIENSTETE *(bedrohlich, drängen Schelling ins Zimmer)*:

Die Schläge klingen,
wie Donner grollt,
vom Höllenspuk
wirst du überrollt.

SCHELLING *(schnalzt mit der Zunge, stampft mit den Füßen, während er spielt)*: Ihr kriegt mich nicht, verdammtes Pack!

PAUL: Dich und den andern, euch beide!

(Alle drängen in den Raum)

LENAU *(sieht sie, umarmt die Geige und beginnt zu spielen)*: Ich bin der Abfall, der anschrillt gegen die alte Vernunft der Welt!

SOPHIE *(regungslos neben Lenau)*: Sie sind die Stimme der Sehnsucht, die hinter der Maske des Schmerzes singt.

PAUL: Hör nur, das verdammte Weibsstück! *(Zu Ferdinand)* Der Kerl hat sie verhext!

FERDINAND: Keine Angst, am Ende kriegt sie sich wieder ein, du wirst schon sehn!

SOPHIE: Welche Kraft in Ihnen steckt, Herr! Es ist die Leidenschaft, die entflieht, um nicht im Alltagsgrau zu ersticken.

SCHELLING *(spielt im hinteren Teil des Raums, von den Bediensteten umringt)*: Aber ich folge dir bis ans Ende der Welt! Ich steige auf bis zu den schrillsten Tönen, und dann, wenn du nicht damit rechnest, nach einer Pause, da! – da hast du einen Sprung in der Quart und diese Quint aus tremolierenden Klängen, und kein Legato, nichts ... nur die Leere!

LENAU *(wie erwachend, kämpferisch)*: Welch ein Massaker! Ich höre das Knirschen und Krachen eines Zusammenbruchs in diesen Klängen!

SOPHIE: Sie vermögen nichts gegen Sie, Herr, Sie sind doch schon ganz woanders, entflohen.

LENAU: Aber er versucht, mich in einem Spinnennetz von Akkorden zu fangen.

SOPHIE: Sie sind lebendig, Herr ... vergessen Sie nicht ihren Klang!

LENAU *(leidenschaftlich)*: Aber muß ich ihn denn zwingen, sich mit der Leere zu messen, ihn ausschließen von allem Lebensglück?

SCHELLING *(spielt erregt)*: Entdeck die Bilder, die dich leben lassen, laß sie tanzen zwischen diesen verhexten metallischen Klängen! Deine Seele wird doch endlich aufreißen müssen und ihr Delirium offenlegen! Du mußt dich am Ende doch in meinen Strudel ziehen lassen!

SOPHIE: Widerstehn Sie, Herr.

(Die Bediensteten drängen Schelling und Lenau gegeneinander. Lenau hat die Violine wieder ergriffen. Nur Sophie ist außerhalb des Kreises)

BEDIENSTETE:

Es dräut ein Chaos,
ein Sturm, ein Sausen,
wilder Tanz,
ein Dämon naht
mit schaurigem Brausen.

SOPHIE: Widerstehn Sie, Herr! Diese Welt dreht sich seit Jahrhunderten, ohne einen Schritt vorwärtszukommen, und schreit und spuckt und zerfällt von allein.

LENAU: Diese irrwitzige Welt mit ihren Schellings und deren vernünftigen Ideen, die auf der Leere hocken.

SCHELLING: Da hast du eine Kaskade von Klängen, die in allen Nuancen funkelt, die aufjauchzt, wieder abklingt ... Willst du noch mehr?

LENAU: Warum verfolgst du mich, verfluchte Violine?

(Die Pfleger schließen den Kreis enger um sie)

BEDIENSTETE:

Ein Dämon naht
mit schaurigem Brausen.

SOPHIE: Sie können doch die Nacht mit einem Vers verscheuchen, Herr!

LENAU: Aber der Abgrund hat sich aufgetan und will mich verschlingen!

SCHELLING: Und du wirst darin verrecken, aber vorher sollst du mir sagen, was dir die Kraft gibt, den Schwindel zu ertragen, die Leere!

(Lenau fixiert ihn; unterdessen haben die Pfleger den Kreis ganz geschlossen. Sophie bleibt draußen, mit aufgerissenen Augen, offenem Mund und ausgebreiteten Armen)

LENAU: Sieh nur, Schelling zwischen den Reitern der Apokalypse!! *(Lacht)*

SCHELLING: Sprich endlich, sprich!

BEDIENSTETE *(stampfen mit den Füßen)*:

Ein Dämon naht
mit schaurigem Brausen

SOPHIE: Widerstehen Sie, Herr, der Sieg liegt in ihrem Zorn!

LENAU: Wer gibt dir solch treffende Worte ein … Sophie, wer bist du?

SOPHIE *(zögernd)*: Ihre Stimme, die von weit her kommt.

LENAU: Du wirst die Leere anschauen müssen, Quacksalber, und deine Sicherheiten aufgeben und dein Leben riskieren.

(Schelling will sich auf ihn stürzen, aber Ferdinand und Paul halten ihn fest und zwingen ihn zu Boden)

SCHELLING: Was macht ihr, Verräter? Mein Instrument, gebt mir mein Instrument!

LENAU *(beginnt »La Folia« zu spielen)*: Da hast du Koloraturen und Verzierungen … hör nur einen Augenblick, wie das Allegro sich befreit in Flügen aus Semicromen, hör nur, hör.

SCHELLING *(zwischen Schmerz und Ekstase)*: Ah, diese Bicordi, die Tremoli, diese Cadenza di bravura … noch mal, noch einmal!

LENAU: Da hast du ihn, den Wahnsinn, Quacksalber … Dein Hirn wird in diesen Variationen tanzen, bis es auseinanderfällt. *(Boshaft)* Spür den lebhaften Sprung, und steig hinab mit den Spielen des Bogens, hinein in den Klangkörper, und was findest du da? Die Ablagerungen des Lebens, wie in jeder alten Violine, winzige Splitter, die der Klang abgeschieden hat.

SCHELLING *(mit ersterbender Stimme)*: Alles austilgen, was die Harmonie stört, hast du einmal gesagt.

LENAU: Was nicht vibrieren will, muß mühsam hervorgeholt werden, durch die Ausführung des Spiels! Hör nur: ein Schlag mit dem Bogen, noch einer, und der Wahnsinn breitet sich aus.

SOPHIE: Ihr Spiel triumphiert, Herr.

PAUL: Das kluge Mädel assistiert ihm bei seinem Abgang! *(Lacht)*

LENAU: Da! Ein kurzer Zwischensatz ... Hiebe, Sprünge, Arpeggi.

SCHELLING: Genug, hör auf ... Dieses Ticken hier in den Schläfen ... sie platzen mir gleich ... Schluß mit dieser Stimme, die mich aushöhlt und foltert!

LENAU: Noch einen Lauf und noch ein Arpeggio. Mit jedem Mal wird etwas Lebendiges ausgestoßen und lagert sich am Boden des Violinkörpers ab.

SCHELLING: Gib mir diesen Staub, ich bitte dich, gib mir diesen hauchzarten Streifen Zeit, die Substanz deines Spiels, deine Ablagerungen.

LENAU *(schwitzt)*: Du wirst dich demütigen müssen, verzweifeln ... Erst dann werden sich vielleicht Melodien und Akkorde erheben, die Engelsscharen entzücken können, und wenn dein Herz wieder frei und rein wird, wirst du ihrer gewahr werden. Eine unendliche Sehnsucht wird sich in dein Inneres senken, dein Denken wird sich öffnen für das Unvollendete, das Unvollkommene, und das Begehren wird entbrennen.

BEDIENSTETE:

Es dräut ein Chaos,
ein Sturm, ein Sausen.
Hörst du den Tanz?
Ein Dämon naht
mit schaurigem Brausen.

LENAU *(hat ein zartes Violinspiel begonnen)*: Der Wahnsinn steigt herab, umzüngelt dich in der Versenkung dieser musikalischen Meditation.

SOPHIE: Widerstehn Sie, Herr.

LENAU: Ich bin dieser Staub, der winzige Splitter, den der Klang abgesondert hat.

SCHELLING *(am Boden, das Gesicht verzerrt)*: Der Staub, der Staub.

LENAU: Ich bin das, was abfällt, bei der Erschaffung von Harmonie.

SOPHIE: Widerstehn Sie, Herr, widerstehn Sie.

BEDIENSTETE:

Es dräut ein Chaos
mit wildem Tanz,
der Wahnsinn naht.

LENAU *(crescendo)*: Ich bin der schrillende Akkord ...

SOPHIE: Widerstehn Sie der Perfektion, Herr.

LENAU *(skandiert)*: ... der unvollendete Klang.

(Der Klang der Violine wird von den lauter werdenden Stimmen der Bediensteten übertönt)

BEDIENSTETE *(mit bedrohlicher Langsamkeit)*:

Es dräut ein Chaos
mit wildem Tanz,
der Wahnsinn naht im Siegerkranz.

(Die Szene verdunkelt sich langsam. Schelling ist am Boden, während Lenau wieder beginnt, Variationen der »Folìa« von Corelli zu spielen)

4. BILD

(Die Szene wie im 1. Bild. Stühle, Sessel, ein Bett, zwei alte Bänke bilden einen Ausguck, eine Art Barrikade. Ferdinand ist hinaufgestiegen und sucht den Horizont ab. Unten im Zimmer geht Lenau im weißen Hemd unruhig auf und ab. Hin und wieder hält er inne und schaut zu Ferdinand hinauf. In der Ferne kann man den Wiener Aufstand vom Oktober 1848 erahnen)

LENAU: Ich rieche Land, sprach er, von der Höhe der Wellen herab.

FERDINAND *(läßt den Blick über den Horizont schweifen)*: Nichts rührt sich, Herr.

LENAU: Ich rieche Land, wiederholte er, auf den Wellenkämmen des Ozeans.

FERDINAND: Wer riecht?

LENAU: Ein Bauer, der auf der Schiffsbrücke neben mir stand, auf der Reise nach Baltimore. Ich rieche Land, sagte er, und ich schaute mich nach allen Seiten um, aber ich sah nichts.

FERDINAND *(hält weiter Ausschau)*: Genau so.

LENAU: Er roch, mein Lieber, er roch, daß etwas bevorstand, und da habe ich verstanden: Man muß den Ereignissen zuvorkommen, das Leben vorwegnehmen, bevor es dich überrascht!

FERDINAND: Aber hier ist doch alles Überraschung, Herr!

LENAU: Weil du zuläßt, daß die Dinge dich überrollen, da liegt der Fehler!

FERDINAND *(für sich)*: Einstweilen bring ich mich hier oben in Sicherheit, und dann werden wir mal sehn. *(Zu Lenau)* Es gibt dicke Luft, Herr!

LENAU: Gib mir die Pfeife, Ferdinand!

FERDINAND *(reicht ihm Pfeife und Tabak)*: Seien Sie vorsichtig, wir haben hier schon genug Feuer gehabt.

LENAU *(zündet die Pfeife an und raucht)*: Das ist wahr ... heute morgen schien es, als ginge der Horizont in Flammen auf.

FERDINAND: Hier in der Gegend ist es jetzt wieder ruhiger.

LENAU: Aber da unten, aus Richtung Wien, hört man's donnern ... Ein düsterer Zacken am Himmel, eine Riesenflamme, und die Erde fing an zu beben, als ob sie jemand von innen schütteln würde. *(Pause)* Das wird Schelling sein, der sich in der Hölle rührt! *(Lacht)*

FERDINAND: Gut geht's ihm sicher nicht, dem Doktor ... Ich hab zu ihm gesagt: Herr Doktor, lassen Sie die Violine sein, Sie versuchen es schon seit einer Ewigkeit. *(Ahmt ihn nach)* Zum Teufel! Ich will Perfektion, in Phrasierung und Rhythmus, den Rhythmus ohne Geholper, ohne Verzögerung. *(Pause)* Wenn man den Rhythmus wegnimmt, dann bricht die Welt zusammen, hat er gesagt.

LENAU *(lapidar)*: Im Rhythmus hat er die Katastrophe gefunden.

FERDINAND: Sie sind es gewesen, Herr, mit Ihren ... Dissonanzen, so heißt das doch, oder?

LENAU *(zerstreut)*: Sehr guter Tabak, lieber Ferdinand, schade, daß wir so in Eile aufbrechen mußten, du hättest sonst ein bißchen mehr mitnehmen können, und auch ein paar Flaschen alten Bordeaux und zwei oder drei Kästen Zigarren.

FERDINAND: Wenn der Doktor das merken würde, dann wär was los!

LENAU: Der ist längst in der Hölle! *(Pause)*

Jedenfalls, Ferdinand, laß die Dissonanzen, das ist nichts für deine Ohren.

FERDINAND: Wie?! Nach dem Getöse heute morgen!

LENAU *(zerstreut)*: Ich hab immer noch nicht verstanden, warum du ausgerechnet hier anhalten wolltest.

FERDINAND: An der Poststation haben sie uns doch gesagt, daß Wien und die Vororte in Flammen stehen!

LENAU *(belustigt)*: Hab ich's dir nicht gesagt, wir werden am Ende noch gebraten!

FERDINAND: Das Wirtshaus da vorn bietet uns zumindest einen Unterschlupf.

LENAU: Ach ja, wie geht's mir doch gut in den Wirtshäusern, ich fühle mich immer auf der Durchreise ... eine kleine Erfrischung, ein Happen zu essen, und schon geht's wieder weiter! *(Erregt)* Weiter, immer weiter!

FERDINAND: Jetzt nicht, Herr. *(Pause)* Die Situation ist ziemlich unklar. *(Schüttelt den Kopf)* Und da unten fängt es schon wieder an zu brennen.

LENAU: Feuer, Feuer! Sollen sie doch alle brennen, Prinzen und Barone, Fürsten und Herzöge! Auch Schelling soll brennen! *(Pause)* Und du, worauf wartest du, Ferdinand?

FERDINAND: Darauf, daß der Himmel aufklart und daß der Weg frei ist.

LENAU: Und dann? Siehst du nicht, daß diese Pferde völlig am Ende sind?

FERDINAND: Wir werden frischere finden.

LENAU: Sicher, im Flammenmeer von Wien!

FERDINAND: Sie haben drauf bestanden, Herr! Schneller, schneller, das war das einzige, was Sie den ganzen Morgen über gesagt haben!

LENAU: Natürlich, mit Schelling auf den Fersen ... Wir müssen die Hölle zwischen ihn und uns bringen!

FERDINAND: Jetzt, wo die Welt in Flammen aufgeht, ist alles einfacher.

LENAU: Feuer, das Gewalttätigkeit und Machtmißbrauch einäschert. *(Pause)* Denk an den Sturm auf die Bastille, an die französische Revolution! *(Sieht ihn scharf an)* Aber du starrst nur ins Leere und wartest drauf, daß die Welt über dir zusammenstürzt!

FERDINAND: Was kann ich schon tun?

LENAU: Schreien, Ferdinand, schreien! Wir sind frei! Frei!

FERDINAND: Von wegen frei! Haben Sie gehört, was für ein Getöse, Herr?! *(Aufgeregt)* Es ist zum Fürchten!

LENAU: Frei, Ferdinand! Von heute ab werden wir unsere Tage zählen ... es ist eine Wiedergeburt! *(Ergreift die Violine und improvisiert)* Die Musik wird uns ins Paradies des Lebens führen.

FERDINAND: Mit diesem Kanonendonner werden wir, glaube ich, ganz woanders enden!

LENAU: Ach, der zerreißt doch nur das Netz, das unsere Gedanken gefangen hält. Sie fliehen vor diesem Irrenarzt, dessen Eingeweide in Aufruhr geraten, sobald einer sich einscheißt oder schreit oder die Augen vor Angst aufreißt! *(Pause)* Soll doch der schwarze Zacken da kommen und seine Bataillone von Hirngespinsten hinwegfegen, seine Gewißheiten in die Winde zerstreuen ... Wir raffen unsere Phantasien zusammen und stürzen uns in die Bresche, die sich in Schellings Mauer aufgetan hat. Fort in eine

Unendlichkeit, in der es keine Spuren von Erinnerung gibt, die unsere Gesichter nicht kennt. *(Pause)* Ich will, daß uns niemand folgen kann, niemand!

FERDINAND *(beobachtet)*: Da unten, Herr, gehen ganz andere Dinge vor … Die Leute sagen, es ist das Ende für alle. In Nußdorf und Lerchenfeld gibt es nur noch Ruinen und Berge von Leichen. Die kaiserlichen Truppen sollen Wien fest unter Kontrolle haben.

LENAU: Leichen, aufgehäufte Kadaver, alle Schellings dieser Welt, einer auf dem andern, ein Loch im Bauch und eins im Hirn. *(Pause)* Du wirst sehen, es wird nichts anderes als Urin und Scheiße da herauskommen, aus diesem Gebirge von lauter Schellings. Und so wird die Welt bald vom Gestank befreit sein.

FERDINAND: Lassen Sie doch den armen Doktor! Hier geht es um das Volk, die gemeinen Leute … Die bringen da alle um, hängen sie auf, erschießen sie … von wegen Freiheit!

LENAU: Was siehst du denn, Ferdinand, was siehst du?

FERDINAND: Nichts als Rauch.

LENAU *(erregt)*: Hurra, sie verbrennen ihn! Wir werden sein Bild vergessen und die Bilder von seinesgleichen! Alles werden wir vergessen: jegliche Pflicht und Ordnung … und die Welt in eine Langsamkeit einhüllen, die uns natürlich ist. Jeder einzelne wird einem Flügelschlag oder der Spur einer Schnecke folgen. *(Pause)* In die Wälder werden wir zurückkehren und auf den Rhythmus der Natur lauschen.

FERDINAND: Herr, da unten donnert es, und Flammen schießen empor. Die Schlacht tobt zwischen St. Marx und Lichtental, und Sie denken an Schnecken und Wälder!

LENAU: Und du, Ferdinand? Die Welt brennt, Ferdinand, und du wartest darauf, daß die Scheiterhaufen erlöschen, damit du im Schutt herumlaufen kannst!

FERDINAND: Haben Sie eine bessere Idee, Herr?

LENAU: Du mußt nach Höherem streben! Bereite der Zukunft den Weg! Von da oben müßtest du doch den ganzen Planeten überschauen können, und das glückliche Geschick, das uns erwartet.

FERDINAND *(ratlos, für sich)*: Hoffen wir nur, daß Paul bald kommt, hier sieht's schlecht aus: da hinten mit den Frauen Schelling, der den Trottel macht, und hier der Dichter, den seine eigenen Phantasien zum Narren machen. Paul hatte doch recht: Wir hätten den einen gegen den anderen aufhetzen sollen, daß ihnen das letzte bißchen Hirn aus dem Schädel spritzt. Aber dann hat Sophie so ein Drama daraus gemacht. *(Ahmt sie nach)* Dieser Lenau ist doch so eine wehrlose Seele, so ein unglücklicher Mensch, und dann hat er schließlich den Doktor unschädlich gemacht ... Versteh einer die Frauen, alle immer so mütterlich, haben gleich Mitleid, wenn einer spinnt. *(Pause)* Und was mach ich jetzt mit dem hier?

LENAU *(insistiert)*: Was siehst du denn, Ferdinand? Du brabbelst so, daß ich kein Wort verstehe.

FERDINAND: Der Himmel ist eine Rauchwolke.

LENAU: Die Kadaver brennen, Ferdinand. Freu dich, das machen die für uns, und wenn sie hierher kommen, werden wir sie mit Musik empfangen. *(Beginnt die Marseillaise zu spielen)* Das ist der Rhythmus unserer Zeit!

FERDINAND: Dasselbe hat der Doktor gesagt: Die Welt ist Rhythmus!

LENAU *(verärgert)*: Dummkopf! Der ist auf der anderen Seite der Barrikade! Der befreit die Menschen nicht, der legt sie in Ketten!

FERDINAND: Da hab ich meine Zweifel, Herr ... Im Moment geht es ihm ausgesprochen schlecht, er starrt ins Leere und wiederholt ständig: Der Staub, der Staub.

LENAU *(argwöhnisch)*: Und woher weißt du das?

FERDINAND *(wie ertappt)*: Nun ja, als wir ihn verlassen haben ...

LENAU: Schweig! Sei still! Schau in die Ferne, Ferdinand!

FERDINAND *(für sich, beunruhigt)*: Was soll ich denn noch gucken? *(Laut)* Der ganze Himmel ist ein Feuerschein, Herr, die Wolken gehen in Flammen auf.

LENAU: Siehst du, wie die Materie sich befreit, sich auflöst, und mittendrin unsere Gedanken, die davonspringen, die Imagination schwillt an im Wind. *(Pause)* Von heute an werden wir unsere Tage zählen! Die Mauern fallen und der Himmel tut sich auf!

FERDINAND: Das Feuer, Herr, das Feuer!

LENAU: Das Leben ist ein Verbrennungsprozeß, mein Lieber. In dieser Glut wird es schwierig sein, Schellings Knochen zu finden! *(Lacht)*

FERDINAND: Also wirklich, der Doktor ist ...

LENAU *(drängend)*: … über den rauchigen Horizont hinaus?

FERDINAND *(schüttelt den Kopf)*: Ich kann Uniformen erkennen, die in der Sonne leuchten. *(Pause)* Wahrscheinlich die Böhmen von General Windischgrätz. *(Pause)* Ich hab große Angst, Herr!

LENAU: Ach was, das sind unsere Leute, die aus dem Versteck kommen! Schelling ist gefallen, und kein Böhme wird ihn wieder lebendig machen!

FERDINAND: Sie scherzen Herr, das scheint mir in diesem Moment wirklich nicht angebracht … Und was hat der arme Doktor mit den kaiserlichen Truppen zu tun?

LENAU: Man lebt, wie man träumt, Ferdinand. Im Traum habe ich einen Scheiterhaufen gesehen, auf dem all meine Feinde wie trokkenes Laub verkohlten. *(Betrübt)* Aber ich weiß schon, du siehst überhaupt nichts.

FERDINAND: Meine Augen brennen, und es stinkt nach Rauch. *(Pause)* Was sonst noch? Ein schreckliches Getöse, ja, da hinten, wo der Horizont voller Blutflecken scheint. Das könnte Jägerzeil sein, oder Franzallee? Es sieht so aus, als ob da unten noch ein bißchen was zu retten wär … Aber die Leute fliehen, es bleibt keine Zeit.

LENAU *(langsam)*: Und wohin laufen sie?

FERDINAND: Weg, Herr! Und die Kaiserlichen rücken weiter vor.

LENAU: Was machst du eigentlich da oben? Ich hab dich da raufgeschickt, damit du die Welt siehst, nicht einen Ruinenhaufen!

FERDINAND: Kommen Sie doch rauf, Herr, daß Sie sich selbst ein Bild machen können. Die Welt raucht!

LENAU: Dann steig hinab zu den Ufern der Donau, und lösch die Flammen! Siehst du nicht die Wellen, die sachte gegen das Vaterland hingleiten? Und den Schaum, der von den Fluten aufspritzt, siehst du das nicht, Ferdinand?

FERDINAND: Wie kann ich denn die Donau sehen, Herr?

LENAU: Sie strömt herab zu meinem Vaterlande hin. Und die Tümpel begleiten sie im Licht der Herbstsonne. *(Pause)* Neben einem Tümpel habe ich meine Jugend verbracht.

FERDINAND: Scherzen Sie, Herr? Als junger Mann waren Sie in Wien, hat der Doktor erzählt. Sie spielten Billard, rauchten wie ein Türk und waren den Weibern hinterher …

LENAU: ... und ich lauschte den Unken bei den Tümpeln und hielt Reden.

FERDINAND *(lachend)*: Ja doch, wahrscheinlich in Latein!

LENAU: So ist es, mein Junge! In Preßburg hielt ich einmal eine Rede über die Unsterblichkeit der Seele ...

FERDINAND: ... der Unken, Herr?

LENAU: Red kein dummes Zeug, schau lieber nach vorn!

FERDINAND: Aber wenn ich da runterschau, schaudert's mich! Pulverdampf, Donnern, Feuerschein ... Jetzt scheint der Prater zu brennen ...

LENAU *(träumerisch)*: O holdes Elysium, ein Gewimmel von Sonnenschirmen, Kutschen gleiten leicht durch das Grün, junge Frauen lustwandeln, und die Luft ist lau ...

FERDINAND: Es ist die Hölle, Herr! Die edlen Damen sind in wildem Durcheinander in die Kutschen geklettert, und auf ging's nach Olmütz mit dem Kaiser und dem ganzen Hofe!! Das wird eine Spazierfahrt gewesen sein!

LENAU: Ist so auch Schelling geflohen? In der Kutsche mit dem Kaiser!

FERDINAND: Aber nein, Herr, der ist doch da drüben!

LENAU *(aufgeregt)*: Wo denn? Wo?

FERDINAND *(in Verlegenheit)*: Drüben ... auf der anderen Seite der Welt ...

LENAU *(befriedigt)*: Das ist jetzt ja doch nur noch so ein Gedanke, Ferdinand, ein Gedanke, der mich verfolgt wie meine Hypochondrie ... Ich muß die Reise fortsetzen, dieser Hund schafft es nicht mehr, mir hinterherzuhecheln. *(Pause)* Siehst du meine Ebenen, die Weite Ungarns?

FERDINAND: Ich rieche Schwefelgestank, Herr!

LENAU: Versuch, weiter zu sehen!

FERDINAND: Ich habe Angst hinzuschauen ... Es heißt, die Böhmen sind schon am Burgtor!

LENAU: Was machst du denn noch da oben! Laß doch die Revolution, das ist doch nur Schall und Rauch!

FERDINAND: Aber dabei rollen viele Köpfe.

LENAU *(erregt)*: Sicher, es muß Schelling sein, der sie anführt!

FERDINAND: Sie scherzen wohl! Ich weiß wirklich nicht, wie wir aus diesem Inferno jemals rauskommen sollen.

LENAU: Wir spannen die Pferde wieder an und brechen auf zu neuen Ideen. *(Pause)* Die alten haben nichts als Ruinen hervorgebracht.

FERDINAND: Sie haben doch schon mal versucht, eine neue Welt zu finden.

LENAU: Und?! Soll ich mir wegen eines Fehlschlages die Augen ausreißen und nicht mehr schauen? Amerika hat mein Hirn erweitert ... Ich habe dort nicht die Glückseligkeit gesehn, sondern ausgetrocknete, erloschene Blicke ... Aber ich habe Horizonte und weite Räume in mich aufgenommen. Die sind hier, in mir drin, die reichen für uns beide, und kein Mensch wird uns fragen, wohin wir reisen. Jenseits der Wüste und der Angst werden wir ein Reich aufbauen, und dort wirst du an meiner Seite sein!

FERDINAND: Sie werden Ihnen nicht die Zeit lassen, Herr! *(Schüttelt den Kopf)* Auch Leopoldstadt ist gefallen!

LENAU: Die Schatten breiten sich aus, aber sie können unsere Sehnsucht nicht auslöschen.

FERDINAND: Die werden Ihnen die Luft nehmen!

LENAU *(aufgebracht)*: Wir existieren auch im Schmerz, Ferdinand! Schauen wir weiter, hinweg über den Feuerstrahl, der die Nacht durchzuckt.

FERDINAND *(für sich, klagend)*: Paul, du elender Kerl, wo bleibst du nur? Ich stehe hier zwischen zwei Feuern, und du machst den Narren mit irgendeinem Frauenzimmer!

LENAU: Mit wem sprichst du, Ferdinand?

FERDINAND: Die Kaiserlichen rücken vor, und uns bleibt kein Fluchtweg.

LENAU: Dann ist es also soweit! Feurige Zungen verschlingen unsere Peiniger, die Welt erhebt sich.

FERDINAND: Nordbahnhof, Prater, Leopoldstadt ...

LENAU: Weiter so! Die Stadt ist unser, und die Welt wird ...

FERDINAND: Nein, Herr, im Gegenteil, ein Massaker wird es geben!

LENAU: Sie werden uns nicht aufhalten können, Ferdinand!

FERDINAND: Hören Sie das Donnergrollen? Wir müssen uns in Sicherheit bringen!

LENAU: Ich bin mein Leben lang durch Europa gereist, Ferdinand, Stunden um Stunden in der Kutsche, zwischen Enttäuschungen und Ängsten, aber niemand hat mich je aufhalten können. Hunderte, Tausende von Stunden, bei Sturm und bei Regen. Meine Hoden sind angeschwollen wie zwei Birnen von dem Geholper und Gestoße.

FERDINAND: Was für eine Potenz, Herr!

LENAU: Ich habe geschrien, Ferdinand, geschrien, aber niemand hat mich je aufgehalten.

FERDINAND: Mit diesen zwei Birnen konnten sie jede Barriere niederreißen! *(Lacht)*

LENAU: Glocken, die den Sieg einläuten!

FERDINAND: Schade, daß es zum Feiern zu spät sein wird ... Wir können bald nur noch einen Trauermarsch anstimmen. *(Schüttelt den Kopf, dann für sich)* Schau an, da kommt dieser verflixte Kerl. Er wird sich mit Bier abgefüllt haben, während ich mich hier mit der Revolution vergnüge!

(Paul tritt ein)

PAUL *(leise zu Ferdinand)*: Bis jetzt ist nichts passiert, der andere rollt weiter mit den Augen, und die Frauen wollen ihn wegschaffen.

FERDINAND: Höchste Zeit, daß du dich sehen läßt, Mistkerl!

PAUL: Da drüben war es auch nicht einfach!

LENAU *(schaut ihn neugierig an)*: Da ist ja unser Postillion, gut, Paul, steig auf, wir fahren gleich los!

PAUL *(zu Ferdinand)*: Was sagt er?

FERDINAND: Er will abreisen, er hat irgendein fernes Land im Sinn, die Revolution hat ihn enttäuscht.

PAUL *(kichert)*: Ach ja, die Revolution, der Arme!

LENAU: Wir müssen los, Ferdinand, bevor uns die Welt um die Ohren fliegt! *(Er setzt sich für die Abfahrt zurecht)*

PAUL *(zu Ferdinand)*: Das ist ja wenigstens ein Verrückter voller Ideen, der ist ja richtig lustig! Der Doktor bringt nichts anderes als Gestotter hervor.

FERDINAND: Das wolltest du doch, oder?

PAUL: Von wegen! Ich habe von einem Riesenknall geträumt, und Eingeweide überall verstreut. *(Pause)* Wie sagte doch Schelling? Feuerwerk verwirrter Gemüter! *(Pause)* Und nach dem Knall unsere Freiheit wiederfinden, ein hübsches Mädel im Arm, und der Alltagsrhythmus sollte schön langsam gehen, und nach dem gesunden Menschenverstand ...

LENAU *(hat die letzten Worte Pauls verstanden, verärgert)*: Laß den gesunden Menschenverstand, damit kommst du nicht weit! Steig auf, es ist höchste Zeit zu schauen, ob das Feuer die Welt gereinigt hat! Frei sind wir, frei!

PAUL *(zu Ferdinand)*: Sein Wahnsinn steigt auf wie Dampf und erwärmt mir das Hirn. Der Doktor hatte doch nicht ganz unrecht: seine Sprache ist gefährlich, eine versteckte Falle. *(Pause)* Du merkst es nicht, und schon sitzt du drin. Die Worte stürzen auf dich ein wie Felsbrocken, und wenn du sie schließlich annimmst, scheinen sie dir das Tor zur Welt zu öffnen: Du schaust hinein, und siehst die überraschendsten Dinge, du träumst, du stürzt in die Arme eines ungeheuren Weibsbilds, dessen Bauch sich weitet, und du gleitest ganz hinein und ergötzt dich, bis du bemerkst, daß es ein Ungeheuer ist, eine Maschine, die dein Hirn zermalmt, während der Körper nur noch Brei ist ...

FERDINAND *(verblüfft)*: Paul, verdammter Kerl, wo bist du gewesen? Du bist wohl irgendeiner Hure in die Finger geraten, die es dir ordentlich gezeigt hat, und jetzt kommst du daher und redest mir von Verrückten! Klar bin ich ein Dummkopf, ich hocke hier und vertu die Zeit damit, dir und diesem verrückten Tagedieb zuzuhören!

LENAU: Ferdinand, bist du noch nicht fertig? Dein Gesicht ist rot wie Glut.

FERDINAND: Das glaub ich, Herr, ich steh ja hier oben im Feuerschein.

LENAU *(verträumt)*: Das ist nur ein Widerschein des großen Brandes, den die Asche erstickt. *(Pause)* Die Welt verdüstert sich, und ringsum tanzen Schattengestalten: mit aufgelösten Haaren, die Hände starren von Blut, eine Klinge in der Brust, und eine dunkelrote Woge breitet sich aus.

PAUL *(zu Ferdinand)*: Hör nur, was für Worte, was für Visionen ... meine Knie fangen an zu zittern. *(Beunruhigt)* Und wenn tatsächlich was bis hier heraufkäme?

FERDINAND: Dummkopf, das kommt nur von dem vielen Bier, das dir deinen verdammten Magen verdirbt!

PAUL: Hör mal zu, Ferdinand, hör mal!

LENAU: Der Wind bringt traurige Nachrichten mit, Barrikaden in Flammen und Menschen auf der Flucht. *(Pause)* Gespenster steigen auf die Erde herab und färben das zarte Grün des Praters blutrot, und die Blumen ertrinken zwischen aufgerissenen Augen, die leer zum Himmel starren ... Bajonettspitzen berühren die Wolken, das Universum versteinert im Angesicht der Greuel. *(Pause)* Sie binden die Menschen zu zweit aneinander, da stehen sie nun und schreien ihren Schmerz in den Sternenhimmel, Nacht für Nacht.

FERDINAND *(zu Paul)*: Ruf die Frauen her, schnell, da ist eine Krise im Anmarsch, von wegen Revolution ...

PAUL: Und wenn das die Welt wäre, die hinter den Grenzen unseres Hirns liegt?

FERDINAND: Verblödest du völlig? Da wär's doch besser, du hättest mit irgendeinem Frauenzimmer rumgehurt!

LENAU *(in visionärem Ton)*: Es brennt und verzehrt sich, was unter der Sonne ist, und die Gespenster warten schon, um die Asche in alle Winde zu zerstreuen.

FERDINAND: Los Paul, lauf, hol die Frauen her, hier wird Hilfe gebraucht!

PAUL *(träumerisch)*: Seine Stimme gleitet hinab in meinen Körper, bis sie mir die Eingeweide umdreht. *(Pause)* Und wenn wir in einer Welt erwachten, die von Larven und Gespenstern bevölkert wird? Und würden feststellen, daß dieser Verrückte die Wahrheit gesagt hat, während wir den Schlaf der Ahnungslosen schliefen?

FERDINAND: Ja, wenn die Weiber keine Weiber mehr wären, wenn du dich mit Bier abfülltest und dein Wanst leer bliebe, und wenn dein Schwanz dich im Stich ließe!

PAUL *(macht eine abwehrende Geste)*: Daß der gütige Gott mir immer meine Fahnenstange hochhalten möge! Daß er pissen und vögeln kann mit einem Gefühl von Ewigkeit!

FERDINAND: Also los, beeil dich und ruf Sophie und Emilie!

(Paul geht ab)

LENAU *(wie erwachend)*: Bist du immer noch hier, Ferdinand? *(Schaut sich um)* Wo ist der Postillion? Was ist los? Was geht hier vor?

FERDINAND: Gar nichts, Herr. Er macht sich fertig für die Reise.

LENAU: Steig von der Barrikade, Ferdinand, die Zeit ist reif ... Der Wind ist so kalt. *(Sucht irgend etwas, um sich zuzudecken)* Hier läßt der Herbst die Feuer in einer großen Klage verlöschen. *(Pause)* Und morgen, Ferdinand, welche neuen Ideen wird der Tag bringen?

FERDINAND: Wenn Sie es nicht wissen, Herr ... Sie haben doch immer diese phantastischen Eingebungen ...

LENAU: Der Herbst knebelt uns, und wir werden nicht mehr sprechen können. *(Erregt)* Wir müssen uns beeilen, Ferdinand, daß wir diese Wüste überwinden, mit der sie uns umgeben haben. Nach dem Feuer bedrohen sie uns mit Eis, schau nur, da unten, die Bäume werden schon kahl, und die Büsche vertrocknen. *(Erregt)* Das ist nicht mehr meine Welt, Ferdinand, selbst die Vögel ziehen davon, über Gebirge und Meere hinweg, dorthin, wo auch wir erwartet werden, mein Freund!

FERDINAND: Sicher, Herr, und dort werden wir frische Pferde bekommen und alle guten Gaben des Himmels.

LENAU *(begeistert)*: Und das Licht wird uns übermannen: Wir werden Stimmen hören, mein Freund, die Stimmen des Universums, Vibrationen, die jeder Faser unseres Körpers wohltun, und nicht mehr dieses Krähengeschrei, das die Luft vergiftet. *(Lauter werdend)* Die Menschen werden mit uns zusammen singen, die Welt verjüngt sich, denn da liegt das Geheimnis, Ferdinand ...

FERDINAND *(mit erhöhtem Interesse)*: Wo denn, Herr, wo?

LENAU: ... in meinem Instrument. *(Ergreift die Violine)*

FERDINAND: ... Jaa ... Herr?

LENAU *(beginnt wieder zu spielen)*: Merkst du, wie der Klang die Nebel auflöst und die Welt in Licht verwandelt? *(Erregt)* Wir werden die Gespenster vertreiben, Ferdinand!

FERDINAND: Und das Geheimnis, Herr?

LENAU: Das liegt hier drin, in diesem kleinen Klangkörper, und niemand kann es greifen. Dies ist das Grab aller Klänge, die immer wieder geboren werden, solange es Sehnsucht gibt, mein Freund. *(Pause)* Mit diesem Klang werden wir eines Tages vielleicht dort oben ankommen, im Vorzimmer des Paradieses, und wir werden für den lieben Gott spielen können.

FERDINAND *(für sich)*: Du wirst bald merken, was das hier für eine Sarabande gibt!

LENAU: Und vielleicht wird man eines Tages von mir sagen, wie von Paganini: Er bringt selbst Tiger zum Weinen!

FERDINAND *(für sich)*: Ja klar, und die Löwen bringt er zum Lachen … Ach, was werden wir bald Spaß haben!

LENAU: Und dieser Klang, mein Freund, geht weit über jedes Wort hinaus, verbindet grenzenlose Einsamkeiten, erlöst dich von jedem Gewicht. *(Erregt)* Ja, auch von Schelling. Er wird sich weiter damit quälen, die Substanz meiner Freiheit zu ergründen, und er wird nichts anderes finden als Dissonanzen, die ihn abstoßen.

(Man hört ein Durcheinander von Geräuschen. Die beiden Frauen und Paul treten ein. Sie schieben Schelling in einem Rollstuhl. Sobald dieser Lenau sieht, beginnt er zu schreien)

SCHELLING: Der Staub, der Staub!!

LENAU *(dreht sich mit einem Ruck um, sieht ihn an und beginnt mit großer Heftigkeit zu spielen)*: Du immer noch, übler Dämon … ich bin bereit, dich endgültig zum Verstummen zu bringen. Noch ein Aufzucken, ein Sprung, und ein letzter Ton wird dich durchdringen wie eine Klinge.

SCHELLING *(schreit)*: Der Staub, der Staub!

SOPHIE: Quälen Sie ihn nicht, Herr, er ist ohnehin am Ende, sehen Sie nur seine starren Pupillen, sehen Sie seine Hand, und wie er den Arm ins Leere hält, wie zum Spielen …

LENAU *(nimmt »La Folia« wieder auf)*: Es werden Jahrhunderte vergehen, bis du deine Harmonien findest. *(Pause)* Erst wenn die letzte Violine verbraucht ist und die letzte Hand kraftlos niedersinkt, dann erst wirst du den Klang halten können. Dann wirst du denken können, die Substanz jeglicher Kunst in der Faust zu halten, und damit wirst du deine Einbildung formen. *(Pause)* Wo alles sich klärt, verschwindet die Kunst im Nichts.

SCHELLING: Der Staub, der Staub!

LENAU *(fährt fort zu spielen)*: Jegliche Unvollkommenheit wird getilgt.

SCHELLING *(mit schwächer werdender Stimme)*: Der Staub …

LENAU *(schreit)*: Da ist er, da ist er, der wildgewordene Klang, der die Welt umstülpt und Feuer entfacht und zuckt und gleißt wie eine Sonne ... Siehst du das, Ferdinand? Paul, siehst du das?

SOPHIE: Ich ja, Herr, ich seh dieses Licht, aber Sie müssen durchhalten: Noch so einen Klang und noch einen.

LENAU *(spielt in wilder Verzweiflung)*: Jetzt fliegt die Asche davon, und darunter zuckt die Glut ... So, ja so ... Während der Klang sich ausbreitet und ein Chor von unzähligen Stimmen im All vibriert. *(Pause)* Wir müssen los, Ferdinand, auf in die Kutsche!

FERDINAND *(wie benommen)*: Sofort, Herr!

PAUL: Wir kommen, Herr, wir sind alle da!

SCHELLING *(mit ersterbender Stimme)*: Der Staub, der Staub!

LENAU: Es ist das Gedenken, das um uns vibriert, längst begrabene Menschen, vom Terror gezeichnete Gesichter, unvollendete Existenzen, die die Zeit ausgespien hat ... Das sind Stimmen, die hier drinnen wiederkehren. *(Schlägt auf den Violinkasten)* Hier haben wir die Welt, die Stimmen derer, für die es keine Hoffnung gibt.

SCHELLING *(kaum hörbar)*: Der Staub, der Staub!

SOPHIE: Der Klang wird schwächer, Herr.

LENAU: Es ist Zeit loszufahren, Ferdinand, das Licht wird weniger.

FERDINAND / PAUL: Jawohl, Herr!

LENAU: Gib die Peitsche, Ferdinand, die Peitsche!

FERDINAND *(wie automatisch)*: Natürlich, Herr!

SOPHIE: Beharren Sie, spielen Sie weiter, der Klang entschwindet!

LENAU: Gib die Peitsche, Ferdinand! Schneller, schneller!

(Alle zusammen)

Es erhebt sich ein Sturm,
ein wilder Tanz,
der Wahnsinn naht im Siegerkranz.

(Die Bühne wird dunkel. Die Violinklänge verebben allmählich)

Turin, Berlin, Wien 1994/95

Einbandgestaltung: Franz Hanns
Druck: MANZsche Buchdruckerei Stein & Co., Wien

Printed in Austria

ISBN 3-216-30401-9